studio d A1

Deutsch als Fremdsprache

Kurs- und Übungsbuch | Teilband 2

von
Hermann Funk
Christina Kuhn
Silke Demme
sowie
Oliver Bayerlein

Phonetik:
Beate Diener
und Beate Lex

studio d A1
Deutsch als Fremdsprache
Teilband 2

Herausgegeben von Hermann Funk

Im Auftrag des Verlages erarbeitet von Hermann Funk,
Christina Kuhn, Silke Demme sowie Oliver Bayerlein

In Zusammenarbeit mit der Redaktion:
Gertrud Deutz, Andrea Finster (verantwortliche Redakteurin),
Gunther Weimann (Projektleitung)

Phonetik: Beate Diener und Beate Lex

Beratende Mitwirkung:
Carla Christiany, Universität Bologna; Peter Panes, Schwäbisch Hall;
Hans-Werner Schmidt, Istanbul; Ralf Weißer, Prag

Illustrationen: Andreas Terglane
Layoutkonzept: Christoph Schall
Layout und technische Umsetzung: Satzinform, Berlin
Umschlaggestaltung: Klein & Halm, Berlin

Weitere Kursmaterialien:
Audio-CD: 207730 / Kassetten: 207820
Vokabeltaschenbuch: 207897
A1-Trainer: 208133
Video A1: 207269
Unterrichtsvorbereitung (Print): 207323
Unterrichtsvorbereitung interaktiv: 207463

Symbole

Hörverstehensübung,
15 CD/Kassette,
Track 15 auf der
Kursraumversion

Ausspracheübung,
16 CD/Kassette,
Track 16 auf der
Kursraumversion

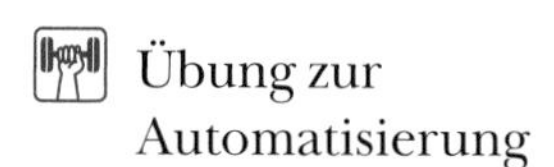
Übung zur
Automatisierung

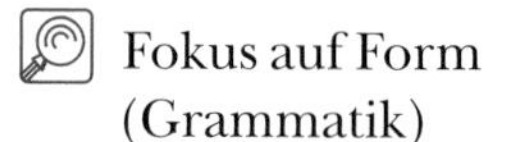
Fokus auf Form
(Grammatik)

http://www.cornelsen.de

1. Auflage, 1. Druck 2005

Alle Drucke dieser Auflage sind inhaltlich unverändert und können im Unterricht nebeneinander verwendet werden.

Druck: CS-Druck CornelsenStütz, Berlin

ISBN 3-464-20766-8

Bestellnummer 207668

Gedruckt auf säurefreiem Papier, umweltschonend
hergestellt aus chlorfrei gebleichten Faserstoffen.

studio d – Hinweise zu Ihrem Deutschlehrwerk

Liebe Deutschlernende, liebe Deutschlehrende,

Das Lehrwerk studio d erscheint in zwei Ausgaben: einer dreibändigen und einer fünfbändigen. Sie blättern gerade im zweiten Band der fünfbändigen Ausgabe. studio d orientiert sich eng an den Niveaustufen des Gemeinsamen europäischen Referenzrahmens. Band 1 und 2 führen zur Niveaustufe A1, Band 3 und 4 zu A2 und der fünfte Band (identisch mit dem dritten Band der dreibändigen Ausgabe) führt Sie zum *Zertifikat Deutsch*.

Das Kursbuch und der Übungsteil studio d A1

Das vorliegende Kursbuch gliedert sich in sechs Einheiten mit thematischer und grammatischer Progression. Der Übungsteil folgt unmittelbar nach jeder Kursbucheinheit und schließt mit einer Überblicksseite „Das kann ich auf Deutsch". In transparenten Lernsequenzen bietet studio d Ihnen Aufgaben und Übungen für alle Fertigkeiten (Hören, Lesen, Schreiben, Sprechen). Sie werden mit interessanten Themen und Texten in den Alltag der Menschen in den deutschsprachigen Ländern eingeführt und vergleichen ihn mit Ihren eigenen Lebenserfahrungen. Sie lernen entsprechend der Niveaustufe A1, in Alltagssituationen sprachlich zurechtzukommen und einfache gesprochene und geschriebene Texte zu verstehen und zu schreiben. Die Erarbeitung grammatischer Strukturen ist an Themen und Sprachhandlungen gebunden, die Ihren kommunikativen Bedürfnissen entsprechen. Die Art der Präsentation und die Anordnung von Übungen soll entdeckendes Lernen fördern und Ihnen helfen, sprachliche Strukturen zu erkennen, zu verstehen und anzuwenden.
Die Lerntipps unterstützen Sie bei der Entwicklung individueller Lernstrategien. In den *Stationen* finden Sie Materialien, mit denen Sie den Lernstoff aus den Einheiten wiederholen, vertiefen und erweitern können.
Da viele von Ihnen die deutsche Sprache für berufliche Zwecke erlernen möchten, war es für uns besonders wichtig, Sie mittels unterschiedlicher Szenarien in die Berufswelt sprachlich einzuführen und Ihnen Menschen mit interessanten Berufen vorzustellen.
Der Band schließt mit einem Modelltest, mit dem Sie sich auf die Prüfung *Start Deutsch 1* vorbereiten können.
Auf der Audio-CD, die dem Buch beiliegt, finden Sie alle Hörtexte des Übungsteils. So können Sie auch zu Hause Ihr Hörverstehen und Ihre Aussprache trainieren. Im Anhang des Kursbuchs finden Sie außerdem eine Übersicht über die A1-Grammatik, eine alphabetische Wörterliste, die Transkripte der Hörtexte, die nicht im Kursbuch abgedruckt sind, und einen Lösungsschlüssel.

Die Audio-CDs/-Kassetten

Die separat erhältlichen Tonträger für den Kursraum enthalten alle Hörmaterialien des Kursbuchs. Je mehr Sie mit den Hörmaterialien arbeiten, umso schneller werden Sie Deutsch verstehen, außerdem verbessern Sie auch Ihre Aussprache und Sprechfähigkeit.

Das Video

Der Spielfilm zum Deutschlernen kann im Unterricht oder zu Hause bearbeitet werden. Im Video lernen Sie eine Gruppe junger Leute im Umfeld von Studium, Job, Praktikum und Freizeit kennen. Die Übungen zum Video finden Sie in den Stationen. Weitere Übungen finden Sie auf der CD-ROM *Unterrichtsvorbereitung interaktiv*.

Der A1-Trainer und die Lerner-CD-ROM

Umfangreiche Materialien für alle, die noch intensiver im Unterricht oder zu Hause üben möchten.

Das Vokalbeltaschenbuch

Hier finden Sie alle neuen Wörter in der Reihenfolge ihres ersten Auftretens. In den zweisprachigen Glossaren werden die neuen Wörter in Ihre Muttersprache übersetzt.

Wir wünschen Ihnen viel Spaß und Erfolg beim Deutschlernen mit studio d!

Teilband 1

	Themen und Texte	Sprachhandlungen
Sta h	Deutsch sehen und hören erste Kontakte Texte: Lied, Postkarte Wortfelder: internationale Wörter, deutsche Namen	internationale Wörter auf Deutsch verstehen jemanden begrüßen sich und andere vorstellen nach Namen und Herkunft fragen buchstabieren
1 Café d 	Gespräche im Café Texte: Getränkekarte, Telefonbuch, Rechnungen Wortfelder: Getränke im Café, Zahlen bis 1000, Strukturwörter	ein Gespräch beginnen sich und andere vorstellen zählen etwas bestellen und bezahlen Telefonnummern nennen und verstehen
2 Im Sprachkurs 	Kommunikation im Kurs Texte: Wörterbuchauszüge Wortfelder: Wörter im Kursraum	nach Gegenständen fragen / Gegenstände benennen im Kurs: etwas nachfragen
3 Städte – Länder – Sprachen 	Sehenswürdigkeiten in Europa Sprachen in Europa – Nachbarsprachen Texte: Landkarten, eine Statistik Wortfelder: Himmelsrichtungen, Sprachen	über Städte und Sehenswürdigkeiten sprechen über Länder und Sprachen sprechen die geografische Lage angeben eine Grafik auswerten einen Ich-Text schreiben
4 Menschen und Häuser	Wohnwelten Texte: Möbelkatalog, E-Mail, Wohnungsgrundriss Wortfelder: Räume und Möbel, Wohnformen	eine Wohnung beschreiben über Personen und Sachen sprechen
Station 1	Berufsbilder: Lehrerin, Student; Themen und Texte; 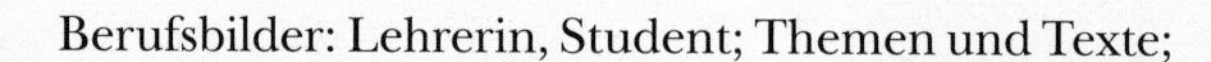	
5 Termine 	Termine und Verabredungen Pünktlichkeit interkulturell Texte: Meldebestätigung, Veranstaltungsangebote, Arztschild, Gedicht Wortfelder: Uhrzeiten, Wochentage, Tageszeiten	Zeitangaben machen Tagesabläufe beschreiben Termine machen und sich verabreden sich für eine Verspätung entschuldigen
6 Orientierung 	Orientierung am Arbeitsplatz der Weg zur Arbeit die Stadt Leipzig / Quiz online Texte: Stadtplan, Etagenplan, Terminkalender, Prospekt Wortfelder: Stadt, Verkehrsmittel, Büro und Computer	sagen, wo Leute arbeiten und wohnen sagen, wie Leute zur Arbeit kommen Orientierung: in einem Haus nach dem Weg / nach einer Person fragen Terminangaben (am Telefon) machen und verstehen
Anhang	Grammatik; Phonetik; alphabetische Wörterliste; Hörtexte; Lösungen	

Grammatik	Aussprache	Lernen lernen
das Alphabet	Wortakzent in Namen	internationale Wörter in Texten finden Wörter sortieren
Aussagesätze Fragesätze mit *wie, woher, wo, was* Verben im Präsens Singular und Plural, das Verb *sein* Personalpronomen und Verben	Wortakzent in Verben und in Zahlen	mit einem Redemittelkasten arbeiten eine Grammatiktabelle ergänzen
Nomen: Singular und Plural Artikel: *der, das, die / ein, eine* Verneinung: *kein, keine* Komposita: *das Kursbuch*	Wortakzente markieren Umlaute *ä, ö, ü* hören und sprechen	mit Wörterbüchern arbeiten Lernkarten schreiben Memotipps eine Regel selbst finden
Präteritum von *sein* W-Frage, Aussagesatz und Satzfrage	Satzakzent in Frage- und Aussagesätzen	eine Regel ergänzen eine Grammatiktabelle erarbeiten Notizen machen
Possessivartikel im Nominativ Artikel im Akkusativ Adjektive im Satz Graduierung mit *zu*	Konsonanten: *ch* Wortakzent bei Komposita etwas besonders betonen (Kontrastakzent)	Wortschatz systematisch: Wörter nach Oberbegriffen ordnen, Wörternetze machen, eine Lernkartei anlegen
Selbstevaluation: Wortschatz – Grammatik – Phonetik; Videostation 1		
Fragesätze mit *Wann?, Von wann bis wann?* Präpositionen und Zeitangaben: *am, um, von … bis* trennbare Verben Verneinung mit *nicht* Präteritum von *haben*	Konsonanten: *p, b, t, d / k, g* Satzmelodie in Fragesätzen	mit Rollenkarten arbeiten Übungszeitpläne
Präpositionen: *in, neben, unter, auf, vor, hinter, an, zwischen, bei* und *mit* + Dativ Ordnungszahlen	Konsonanten: *f, w* und *v*	ein Wortfeld erarbeiten Notizen machen im Kalender

Inhalt

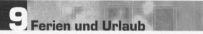

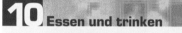

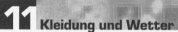

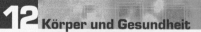

7 Berufe

1 Was machen Sie beruflich?

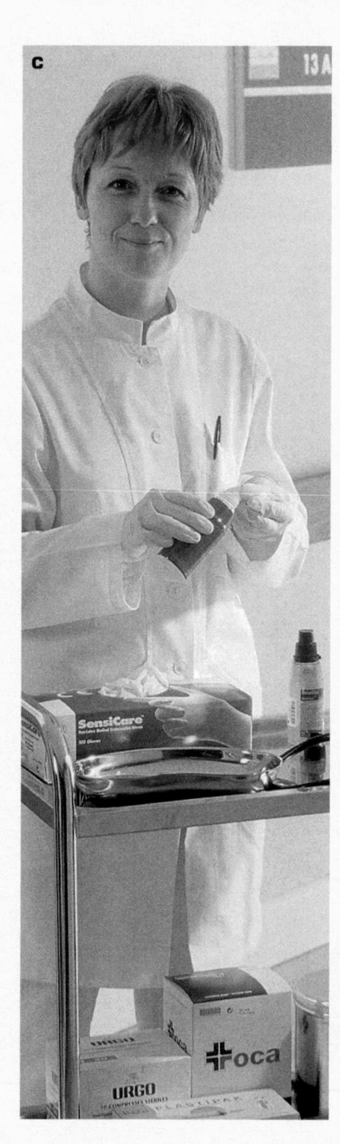

1 Berufe. Ordnen Sie die Fotos zu.

1. ▢ der Bankangestellte
2. ▢ der Automechaniker
3. ▢ der Programmierer
4. ▢ die Sekretärin
5. ▢ die Kellnerin
6. ▢ die Taxifahrerin
7. ▢ die Krankenschwester
8. ▢ der Bäcker

2 Fünf Interviews. Welche Berufe haben die Leute? Hören Sie und ordnen Sie die Fotos den Namen zu.

2 Ü1

1. ▢ Sascha Romanov ist ...
2. ▢ Dr. Michael Götte arbeitet als ...
3. ▢ Sabine Reimann ist ... von Beruf.
4. ▢ Stefanie Jankowski ...
5. ▢ Jana Hartmann ...

Sascha Romanov ist Bäcker.

Hier lernen Sie

- über Berufe sprechen
- Tagesabläufe und Tätigkeiten beschreiben
- jemanden vorstellen (im Beruf)
- Modalverben *müssen, können* (Satzklammer)
- Possessivartikel und *kein* im Akkusativ
- eine Statistik auswerten
- Konsonanten: *n, ng* und *nk*

e

f

g

h

3 **Und Sie? Fragen und antworten Sie im Kurs.**

Redemittel

nach dem Beruf fragen	seinen Beruf nennen
Was sind Sie von Beruf?	Ich bin ...
Was machen Sie beruflich?	Ich bin ... von Beruf.
Was machst du beruflich?	Ich arbeite als ...
Was ist dein Beruf?	
Und was machst du?	

4 **Was man im Beruf hört.**
Lesen Sie laut. Achten Sie auf *ng* und *nk*.

3 Ü2

Frau Reimann, bringen Sie bitte die Basler Zeitung.

Bringen Sie bitte das Geld auf die Bank.

Bringen Sie mich bitte zur Commerzbank.

Sind die Videos im Schrank?

Bringen Sie bitte die Rechnung.

Hängen Sie bitte das Bild an die Wand.

2 Berufe und Tätigkeiten

1 Ü3 **Berufsbezeichnungen. Ergänzen Sie. Wie ist die Regel?**

♂	♀
der *Lehrer*	die ....
der	die *Taxifahrerin* ....
der	die *Studentin* ....

Regel Feminine Berufsbezeichnungen haben meistens die Endung ....

Minimemo
Lernen Sie:
der Bankangestellte – die Bankangestellte
der Krankenpfleger – die Krankenschwester
der Hausmann – die Hausfrau
der Arzt – die Ärztin

2 **Berufe, Tätigkeiten, Orte. Was Leute tun.**
Ordnen Sie zu, ergänzen Sie die feminine Form und berichten Sie.

b	repariert Autos	an einer Schule
	unterrichtet Schüler/innen	im Krankenhaus
	verkauft Schuhe	in einer Werkstatt
	schneidet Haare	im Schuhgeschäft
	schreibt Computerprogramme	im Büro
	untersucht Patienten	im Frisörsalon

Ein Automechaniker / Eine Automechanikerin repariert Autos in einer Werkstatt.

Plural — jemand

Lehrer *der;* -s, -; j-d, der an einer Schule Schüler/innen unterrichtet
a

Mechaniker *der;* -s,-; j-d, der beruflich Maschinen repariert / **Auto-**
b

Verkäufer *der;* -s, -; j-d, der beruflich Dinge verkauft / **Auto-, Möbel-, Schuh-**
c

Frisör *der;* -s, ; -e, j-d, der Haare schneidet / **-salon**
d

Arzt *der;* -es, Ärzte; j-d, der Patienten untersucht / **-praxis**
e

Programmierer *der;* -s, -; j-d, der beruflich Programme für Computer schreibt
f

3 Visitenkarten

Ü4

a) Lesen Sie die Visitenkarten. Welche Informationen finden Sie?

Die Firma.

Cornelsen

DR. GUNTHER WEIMANN
Projektleiter Erwachsenenbildung

Cornelsen Verlag
Redaktion Romanische Sprach
Deutsch als Fremdsprache
Mecklenburgische Straße 53
14197 Berlin
Tel.: +49-(0)30 8 97 58-126
Fax: +49-(0)30 8 97 58-732
E-mail: wm@cornelsen.de

SIEMENS
mobile

Petra Winkler
Kundenberaterin Süd

Siemens Mobiltelefone

Wittelsbacherplatz 2
D-80333 München

Tel.: +49 89 688-00
Mobil: 0172 766543

Fax.: +49 89 688-1011
petra.winkler@siemens.de

b) Sie haben keine Visitenkarte? Dann schreiben Sie eine!

Efes-Soft
Software und Systeme
Muhammad Al Thani · Programmierer

Herrenstraße 67 · D-76133 Karlsruhe
Tel.: 0721 / 913 77 86 · Fax: 0721 / 913 77 90
E-Mail: info@efessoft.de

c) Spiel: Visitenkarten übergeben.
Tauschen Sie die Visitenkarten mit Ihren Lernpartnern. Stellen Sie sich vor (Name und Beruf) und übergeben Sie die Karten.

Guten Tag, mein Name ist Muhammad Al Thani. Ich bin Programmierer bei Efes-Soft in Karlsruhe. Hier ist meine Karte.

4 Visitenkarten interkulturell. Vergleichen Sie.

5 Lesen Sie laut. Achten Sie besonders auf *ng*.

4

Renger & Bonge GmbH
Inge Langer
Sanitär und Heizungen
Bad-Salzunger-Straße 48, 55411 Bingen

Ranke & Menke KG
FRANK HENKEL
Software-Lösungen
Anke-Heldrung-Straße 17b
34127 Kaufungen

3 Neue Berufe

1 Lesen Sie den Text. Welche Aussagen sind richtig?

Susan Hein, 37 Jahre,
Call-Center-Agentin

Ich arbeite im Lufthansa-Call-Center in Kassel. Ich muss beruflich viel telefonieren. Ich kann Englisch und Spanisch sprechen, also bekomme ich die Anrufe aus Großbritannien, Spanien, Südamerika und den USA. Meine Kolleginnen und ich sitzen zusammen in einem Büro. Wir ⁵beraten unsere Kunden am Telefon, informieren sie über Flugzeiten und reservieren Flugtickets. Wir müssen am Telefon immer freundlich sein, das ist nicht leicht. Unsere Arbeitszeit ist flexibel, aber wir müssen manchmal auch am Wochenende arbeiten. Ich habe dann wenig Zeit für meine Familie. Meine Tochter ist leider keine Hilfe im Haushalt – ¹⁰sie kann stundenlang telefonieren, aber sie kann nicht kochen!

1. Susan Hein spricht zwei Fremdsprachen.
2. Sie arbeitet allein im Büro.
3. Susan Hein informiert die Kunden über die Flugzeiten.
4. Die Arbeitszeit ist flexibel.
5. Susan Hein arbeitet am Wochenende nicht.
6. Ihre Tochter telefoniert lange.

1: Das stimmt. Sie spricht …

2 Lesen Sie den Text. Sammeln Sie die Informationen aus beiden Texten in einer Tabelle.

Ü5

Ich arbeite in einem Fitness-Studio in Bochum. Mein Beruf ist sehr interessant. Ich bin Trainer und leite jeden Dienstag und Donnerstag einen Aerobic-Kurs. Ich kontrolliere die Sportgeräte und berate unsere Mitglieder. Ich schreibe einen Plan für die Sportkurse oder organisiere ⁵auch mal eine Party. Meine Arbeitszeit ist von 10 bis 20 Uhr mit zwei Stunden Mittagspause. Ich arbeite auch oft am Samstag, aber am Sonntag muss ich nicht arbeiten. Ich mag meinen Beruf, aber ich kann meine Freundin nicht oft treffen. Sie ist auch Aerobic-Trainerin. Im nächsten Jahr arbeiten wir zusammen als Animateure in einem Sport- ¹⁰club in Spanien. Das ist unsere Chance! Wir können dort zusammen das Showprogramm organisieren und unsere Sportkurse planen.

Jan Jacobsen, 26 Jahre,
Sport- und Fitnesskaufmann

	Jan Jacobsen	Susan Hein
Was? (Beruf und Tätigkeiten)	einen Aerobic-Kurs leiten, ...	...
Wo? (Arbeitsort)	...	...
Wann? (Arbeitszeit)	...	...
Plan im nächsten Jahr?	...	...

3 **Berufe und Tätigkeiten.** **Was passt? Sammeln Sie.**

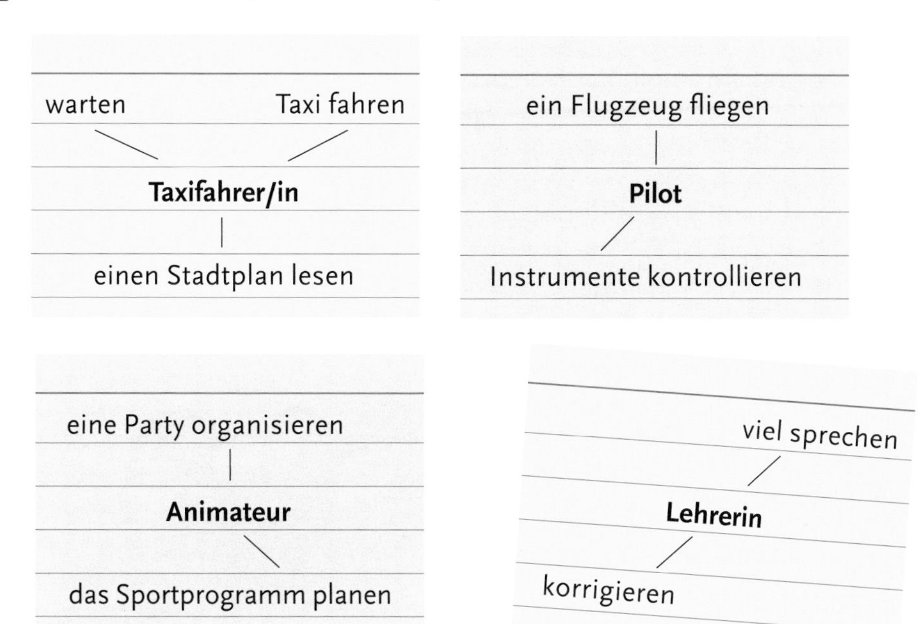

4 **Mein Traumberuf.** **Was ist wichtig für Sie? Schreiben Sie drei Aussagen und lesen Sie vor. Hier sind Ideen.**

Ü 6–7

Ich kann (oft)
Ich muss nie

- im Büro / in der Fabrik / zu Hause arbeiten.
- mit Kindern / mit Tieren arbeiten.
- viele Leute treffen.
- spät/früh anfangen.
- Menschen helfen.
- am Computer arbeiten.
- mit den Händen arbeiten.
- telefonieren.
- E-Mails schreiben.
- viel Geld verdienen.
- in andere Länder fahren.
- um sechs Uhr aufstehen.
- mit Kolleginnen und Kollegen zusammenarbeiten.
- allein arbeiten.
- bis 22 Uhr arbeiten.
- ...

Ich kann viele Leute treffen.
Ich kann oft mit den Händen arbeiten.
Ich muss nie allein arbeiten.

Mein Traumberuf ist Verkäufer!

Landeskunde

Die Arbeitslosigkeit ist ein Problem in Deutschland. Im Juli 2004 waren 4,36 Mio. Menschen arbeitslos (10,5 %). Arbeitslos ist in Deutschland, wer keine Arbeit hat, eine Arbeit sucht und sich bei der Arbeitsagentur arbeitslos meldet. Die Arbeitsagentur hilft bei der Suche nach Arbeit und bei der Orientierung auf dem Arbeitsmarkt. Für eine bestimmte Zeit bekommen Arbeitslose Geld von der Arbeitsagentur.

Agentur für Arbeit
Der kompetente Partner für Arbeit und Beruf

4 Satzklammer

1 Sehen Sie die Sätze an und sammeln Sie Beispiele auf Seite 12.
Ü8

		Modalverb		Verb (Infinitiv)
können	Sie	kann	stundenlang	telefonieren.
müssen	Am Sonntag	muss	ich nicht	arbeiten.

2 Tagesablauf von Paula und Frank Rausch.
Ü9 **Was tut Paula? Was tut Frank? Schreiben Sie.**

Um 6.15 Uhr muss Paula aufstehen.
Von 7.30 bis 12 Uhr arbeitet sie am …

Paula Rausch, 35, Programmiererin	**Frank Rausch, 36, Lehrer, hat Ferien**
um 6.15 Uhr / Paula / muss / aufstehen	Frank / bis 7 Uhr / schlafen / kann
mit dem Bus zur Arbeit / fahren / sie / muss / um 7.15 Uhr	seinen Sohn in den Kindergarten / bringen / er / um 8.30 Uhr / muss
von 7.30 bis 12 Uhr / am Computer arbeiten / sie	das Auto in die Werkstatt / bringen / er / um 12.30 Uhr
um 16.30 Uhr / abholen / sie / muss / ihren Sohn vom Kindergarten	von 17.00 bis 18.30 Uhr / zum Fußball-training / er / gehen
Paula / das Abendessen / machen / um 18.30 Uhr	seinen Sohn / um 19 Uhr / ins Bett / bringen / er

Paula und Frank / können von 20 bis 22 Uhr / fernsehen

3 Und Ihr Tagesablauf? **Fragen und antworten Sie im Kurs.**

Wann musst du zur Arbeit fahren?

Was machen Sie um 14 Uhr?

Wann stehst du auf?

Was machst Du am Abend?

4 Am Wochenende. **Was machen Sie am Sonntag? Schreiben Sie.**

Ich-Texte schreiben

Am Sonntag stehe ich um … Uhr auf.
Ich muss (nicht) …
…

5 Artikelwörter im Akkusativ

1 **a) Lesen Sie die Tabelle. Markieren Sie die Artikelwörter im Akkusativ in den Texten von 3.1 und 3.2.**

Ich mag meinen Chef!

Grammatik

	Akkusativ				
der	de**n**	(k)ein**en**	mein**en**	unser**en**	Brief
das	das	(k)ein	mein	unser	Büro
die	die	(k)eine	meine	unsere	Arbeit
(Pl.) die	die	keine	meine	unsere	Computer

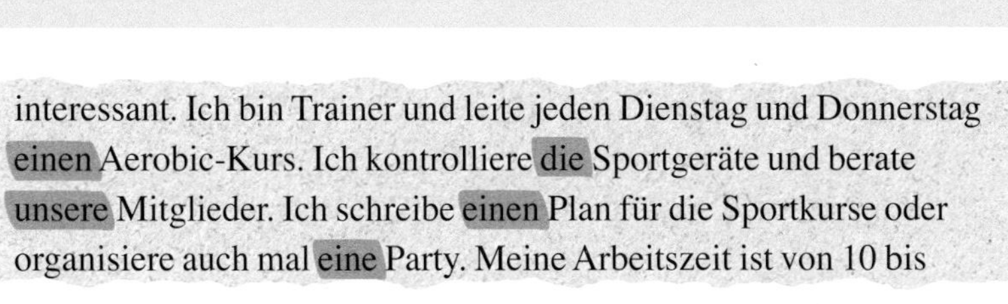
interessant. Ich bin Trainer und leite jeden Dienstag und Donnerstag einen Aerobic-Kurs. Ich kontrolliere die Sportgeräte und berate unsere Mitglieder. Ich schreibe einen Plan für die Sportkurse oder organisiere auch mal eine Party. Meine Arbeitszeit ist von 10 bis

b) Ergänzen Sie die Regel.

Regel Akkusativendung im Maskulinum Singular ist immer ....

2 **Possessivartikel im Akkusativ. Machen Sie Aussagen über sich und andere.**

Ich Wir Mein Bruder Meine Freundin ...	schreiben/lesen brauchen/kaufen kennen/suchen haben/trinken	mein/e/en unser/e/en ihr/e/en sein/e/en	Buch/E-Mail(s). Tee/Kaffee. Chef. Auto. Brille. Computer. ...

Ich habe keinen Chef.

3 **Spiel: Koffer packen**

- ■ Ich packe meinen Koffer. Ich packe mein Buch ein.
- ◆ Ich packe meinen Koffer. Ich packe mein Buch und meine Brille ein.
- ● Ich packe meinen Koffer. Ich packe mein Buch, meine Brille und meinen ...

4 **Mögen Sie Ihre Arbeit? Sprechen Sie über die Statistik im Kurs.**

Ü 10–11

	USA	Kanada	Israel	Australien	Großbritannien	Deutschland	Japan
ich liebe meine Arbeit	30	24	20	18	17	12	9
es ist nur ein Job	54	60	65	63	63	70	72
ich hasse meine Arbeit	16	16	15	19	20	18	19

Angaben in Prozent

30 von 100 Berufstätigen in den USA sagen: Ich liebe meine Arbeit.

Zwölf von 100 Berufstätigen in Deutschland lieben ihre Arbeit, 70 von 100 sagen: Es ist nur ein Job.

1 **Was sind die Leute von Beruf? Hören Sie die Aussagen.**

5

	Aussage Nr.
a) der Bankangestellte	
b) die Studentin	
c) der Arzt	
d) der Verlagskaufmann	
e) die Redakteurin	

2 **Hören und ergänzen Sie *nk* oder *ng*.**

6

■ Welche Kra..........enkasse haben Sie bitte?

◆ Die AOK.

■ Da..........e.

■ Was sind Sie von Beruf?

◆ Ich arbeite bei der Allgemeinen Zeitu.......... .

■ Wo ist die Kantine, bitte?

◆ Gleich hier li..........s .

Frau Schmidt, legen Sie bitte die Papiere in den Schra..........!

■ Der Chef aus der Marketi..........abteilu.......... spricht sehr gut E..........lisch.

◆ Ja, er war la..........e in E..........land.

3 **Berufe. Ergänzen Sie die Tabelle.**

♂	♀
der Lehrer	die Lehrerin
der Angestellte	....
der Verkäufer	....
....	die Frisörin
der Arzt	....
....	die Programmiererin
....	die Pilotin
der Redakteur	....
....	die Hausfrau
....	die Mechanikerin
....	die Krankenschwester

4 Visitenkarten. Welche Informationen finden Sie? Ergänzen Sie.

die Adresse – der Arbeitsplatz – die E-Mail-Adresse – die Faxnummer – der Name – der Beruf – die Telefonnummer – ~~der Titel~~

.... — **Städtische Kliniken Jena**
Allgemeinmedizin

der Titel .... — **Dr. med. Matthias Roth** — ....
Chefarzt — ....

Eichplatz 32–34
07743 Jena — ....

....	Tel.	03641 / 123-6544-0	
	Fax	03641 / 123-6544-1	....
....	E-Mail	roth@klinikenjena.de	

5 Was gehört zusammen? Verbinden Sie die Nomen mit den Verben. Es gibt mehrere Möglichkeiten. Vergleichen Sie mit den Texten auf Seite 12.

Mitglieder – Flugtickets – Kurse – Sportgeräte – eine Party – die Freundin – ein Showprogramm – Kunden

beraten – informieren – reservieren – leiten – kontrollieren – organisieren – planen – treffen

Mitglieder beraten ....

....

....

....

....

....

....

....

....

....

....

....

6 **Ergänzen Sie *müssen* oder *können*.**

Ich bin Trainer in einem Fitness-Studio. Das ist mein Traumberuf. Da .... ich morgens lange schlafen, denn meine Arbeit beginnt erst um zehn Uhr. Ich .... die Sportgeräte kontrollieren und den Plan für die Sportkurse schreiben. Am Samstag .... ich auch arbeiten, aber am Sonntag und Montag habe ich frei. Am Sonntag .... ich meine Freundin treffen. Leider .... sie am Montag arbeiten. Wir .... uns nicht oft sehen. Nächstes Jahr arbeiten wir zusammen in Spanien. Wir .... dort auch viel privat zusammen machen.

7 **Arbeit, Arbeit, Arbeit. Wie heißen die Wörter? Schreiben Sie auch die Artikel.**

~~agentur~~ – anweisung – losigkeit – markt – platz – zimmer – zeit

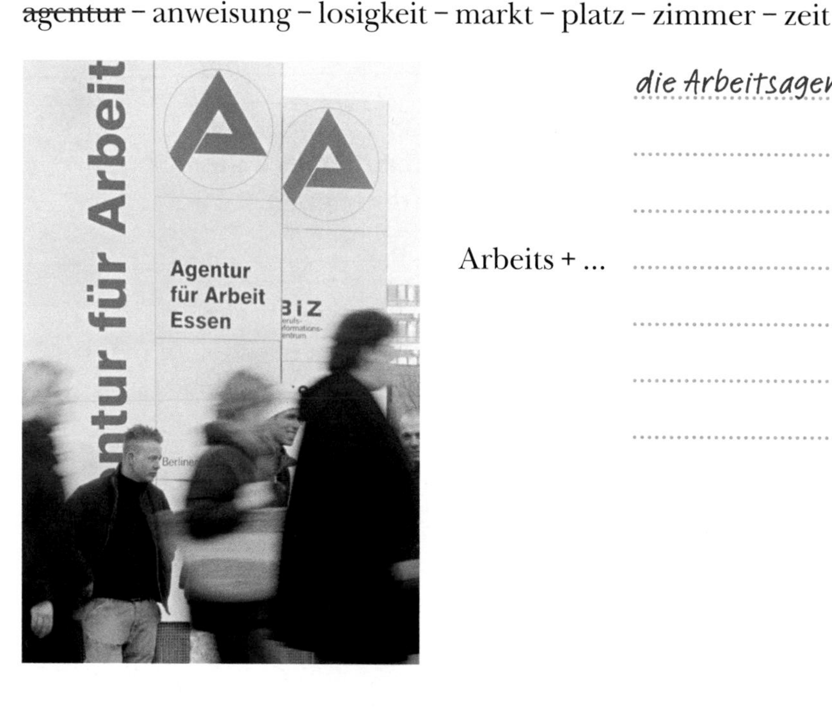

Arbeits + ...

die Arbeitsagentur
....
....
....
....
....
....

8 **Notieren Sie die Sätze wie im Beispiel.**

1. ~~kann – nicht – ich – bis – 19 Uhr – arbeiten – morgen~~
2. in andere Länder – kann – fliegen – eine Pilotin
3. haben? – einen Termin – kann – ich
4. musst – wann – am Montag – du – arbeiten?
5. gehen? – kann – früher – ich – heute
6. eine Sekretärin – schreiben – E-Mails – viele – muss

Morgen kann ich nicht bis 19 Uhr arbeiten.

9 **Neue Berufe.** **Hören Sie den Text. Ergänzen Sie die Verben.**

7

1. Ich .... im Lufthansa-Call-Center in Kassel.
2. Ich .... beruflich viel telefonieren.
3. Ich .... Deutsch, Englisch und Spanisch.
4. Ich .... die Telefonanrufe aus Großbritannien, Spanien, Südamerika und den USA.
5. Meine Kolleginnen und ich .... unsere Kunden und .... sie über Flugzeiten.
6. Wir .... auch Flugtickets am Telefon.
7. Wir .... am Telefon immer freundlich sein.
8. Manchmal .... wir auch am Wochenende arbeiten.
9. Meine Tochter .... nicht kochen.

10 **Lieblingsberufe.** **Lesen Sie den Text und die Grafik und notieren Sie die Berufe.**

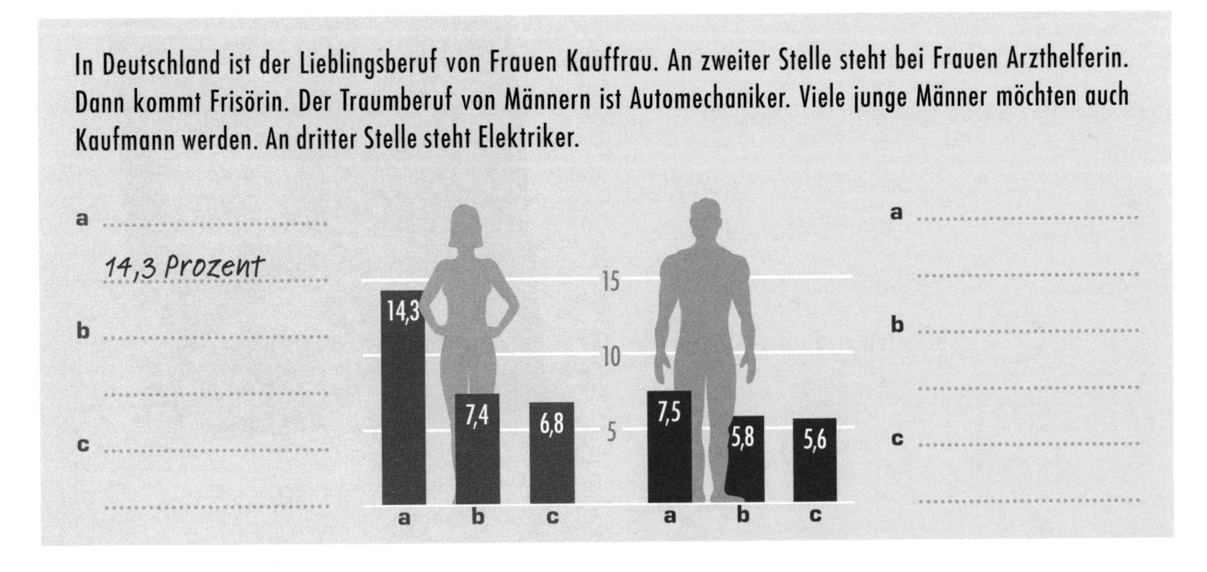

In Deutschland ist der Lieblingsberuf von Frauen Kauffrau. An zweiter Stelle steht bei Frauen Arzthelferin. Dann kommt Frisörin. Der Traumberuf von Männern ist Automechaniker. Viele junge Männer möchten auch Kaufmann werden. An dritter Stelle steht Elektriker.
a
14,3 Prozent
b
c
14,3
7,4
6,8
15
10
5
7,5
5,8
5,6
a
b
c
a
b
c
a
b
c

11 Berufe raten. **Setzen Sie die Artikelwörter im Nominativ oder Akkusativ ein.**

1.

Meine Arbeitszeit ist flexibel. Ich arbeite in einem Büro mit anderen Kollegen. D.................... Büro ist sehr groß. Ich habe e.................... Schreibtisch mit einem Computer und einem Telefon. M.................... Telefon ist sehr wichtig. Jetzt schreibe ich gerade e.................... Text. Morgen können Sie m.................... Text in der Zeitung lesen.

Welchen Beruf hat er? ....

2.

Das ist Petra May. Bei ihrer Arbeit braucht sie auch e.................... Computer und e.................... großen Schreibtisch. Sie schreibt Computerprogramme. D.................... Telefon ist wichtig für sie. Sie muss i.................... Kunden oft anrufen. Sie arbeitet allein im Büro.

Welchen Beruf hat sie? ....

3.

Meine Freundin begrüßt i.................... Kunden in einem Geschäft. Sie arbeitet von Dienstag bis Samstag, am Montag hat sie frei. Bei ihrer Arbeit braucht sie k.................... Computer, aber e.................... Schere. Sie berät i.................... Kunden. Dann schneidet sie Haare.

Welchen Beruf hat sie? ....

Das kann ich auf Deutsch

nach dem Beruf fragen

- Was sind Sie von Beruf? /
- Was machst du beruflich?

meinen Beruf nennen

- Ich bin Lehrerin/Pilot/Automechaniker von Beruf.
- Ich arbeite als Taxifahrerin/Kellner/Sekretärin.

mich vorstellen und die Visitenkarte übergeben

Guten Tag, mein Name ist Muhammad al Thani. Ich bin Programmierer bei Efes-Soft in Karlsruhe. Hier ist meine Karte.

sagen, was Leute tun

Ein Automechaniker / eine Automechanikerin repariert Autos in einer Werkstatt.
Der Verkäufer / die Verkäuferin verkauft Schuhe im Schuhgeschäft.

Wortfelder

Berufe	Programmierer/in, Arzt/Ärztin, Krankenpfleger/Krankenschwester, Kaufmann/Kauffrau, Frisör/in ...
Tätigkeiten	informieren, telefonieren, organisieren, planen, reparieren, verkaufen, untersuchen, Haare schneiden ...
Orte	in einer Werkstatt, im Krankenhaus, im Call-Center, im Fitnessstudio, im Büro ...

Grammatik

Modalverben *können, müssen*

Satzklammer Modalverb + Verb (Infinitiv)
Um 16 Uhr **muss** ich meinen Sohn vom Kindergarten **abholen**. / Ich **muss** beruflich oft **telefonieren**.
Wir **können** um zwölf Uhr in der Kantine **essen**. / Er **kann** bis neun Uhr **schlafen**.

Possessivartikel im Akkusativ

Ich mag **meinen** Chef. / Dirk hasst **seinen** Computer. / Silke sucht **ihre** Brille.

Aussprache

Konsonanten *n, ng, nk*

Bringen Sie bitte die Rechnung! / Die Bücher stehen im Schrank.

8

Laut lesen und lernen

Ich muss um acht im Büro sein. / Ich habe keine Zeit. / Ich muss gleich weg!

8 Berlin sehen

1 Mit der Linie 100 durch Berlin

1 Berlin. **Welche Fotos, welche Namen kennen Sie?**

1 die Humboldt-Universität

2 das Sony Center auf dem Potsdamer Platz

3 das Bundeskanzleramt

4 der Reichstag

2 Die Berlin-Exkursion. **Lesen Sie den Text und den Busplan.**
– Was wollen die Studenten machen?
– Zu welchen Fotos gibt es eine Haltestelle?

Die Berlin-Exkursion hat Tradition. Jedes Jahr fahren Studenten aus Jena nach Berlin. Im Programm ist immer ein Spaziergang durch das Regierungsviertel. Die Studenten wollen das Parlament besichtigen, über einen Flohmarkt bummeln, und am Abend wollen sie ins Theater gehen. Ein Hit ist die Fahrt mit dem Bus Linie 100. Man kann mit dem Bus vom Bahnhof Zoo bis Alexanderplatz fahren. Viele Sehenswürdigkeiten liegen an der Linie 100. Eine Stadtrundfahrt mit der Linie 100 ist billig. Aber der Bus ist oft sehr voll. Besonders beliebt ist die erste Reihe oben. Hier kann man gut fotografieren.

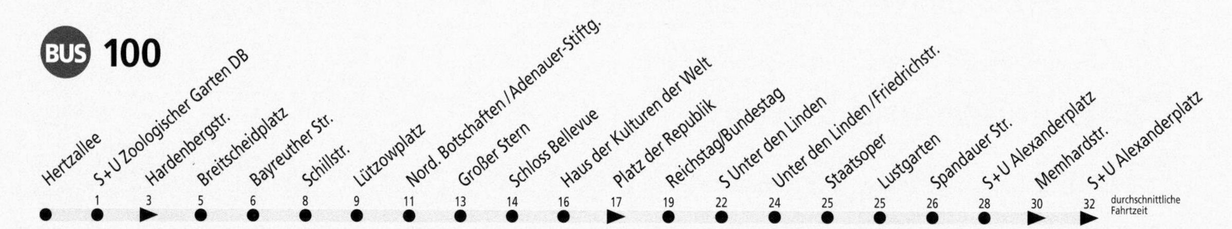

Hier lernen Sie

- Berliner Sehenswürdigkeiten kennen
- nach dem Weg fragen, den Weg beschreiben
- von einer Reise erzählen
- eine Postkarte schreiben
- Präpositionen *in, durch, über* + Akkusativ; *zu, an ... vorbei* + Dativ
- das Modalverb *wollen*
- Konsonanten: *r* und *l*

5 die Staatsoper Unter den Linden

6 das Haus der Kulturen der Welt

7 der Fernsehturm am Alexanderplatz

8

9

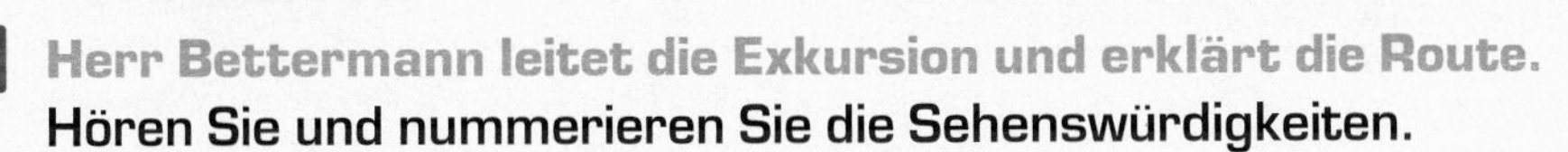

3 Herr Bettermann leitet die Exkursion und erklärt die Route.
Hören Sie und nummerieren Sie die Sehenswürdigkeiten.

... rechts – die russische Botschaft ...

das Brandenburger Tor | 1 das Schloss Bellevue | das Bundeskanzleramt
der Reichstag | die Friedrichstraße | die Humboldt-Universität
der Berliner Dom | die Staatsoper | die Alte Nationalgalerie
der Potsdamer Platz | der Fernsehturm | das Sony Center

Das Exkursionsprogramm

	26. Juni
8.30 Uhr	Abfahrt Busbahnhof Jena
14.00 Uhr	Ankunft Berlin Comfort-Hotel Lichtenberg
15.30 Uhr	Abfahrt zum Deutschen Theater, am Gendarmenmarkt Karten kaufen
bis 19.00 Uhr	frei, Stadtbummel, z. B. Friedrichstraße, Unter den Linden
19.30 Uhr	Theaterbesuch

4 Wortfeld Großstadt. Sammeln Sie.

Ü 1–2

Großstadt — Hotel

2 Orientierung systematisch

10

1 Der Nachmittag ist frei, Nadine und Steffi wollen einkaufen und suchen die Friedrichstraße. Sie sind am Brandenburger Tor. Sie müssen fragen.

a) Hören Sie die drei Dialoge.

b) Finden Sie den Weg in Dialog 3 auf der Karte.

c) Üben Sie die Dialoge mit Ihrer Partnerin / Ihrem Partner.

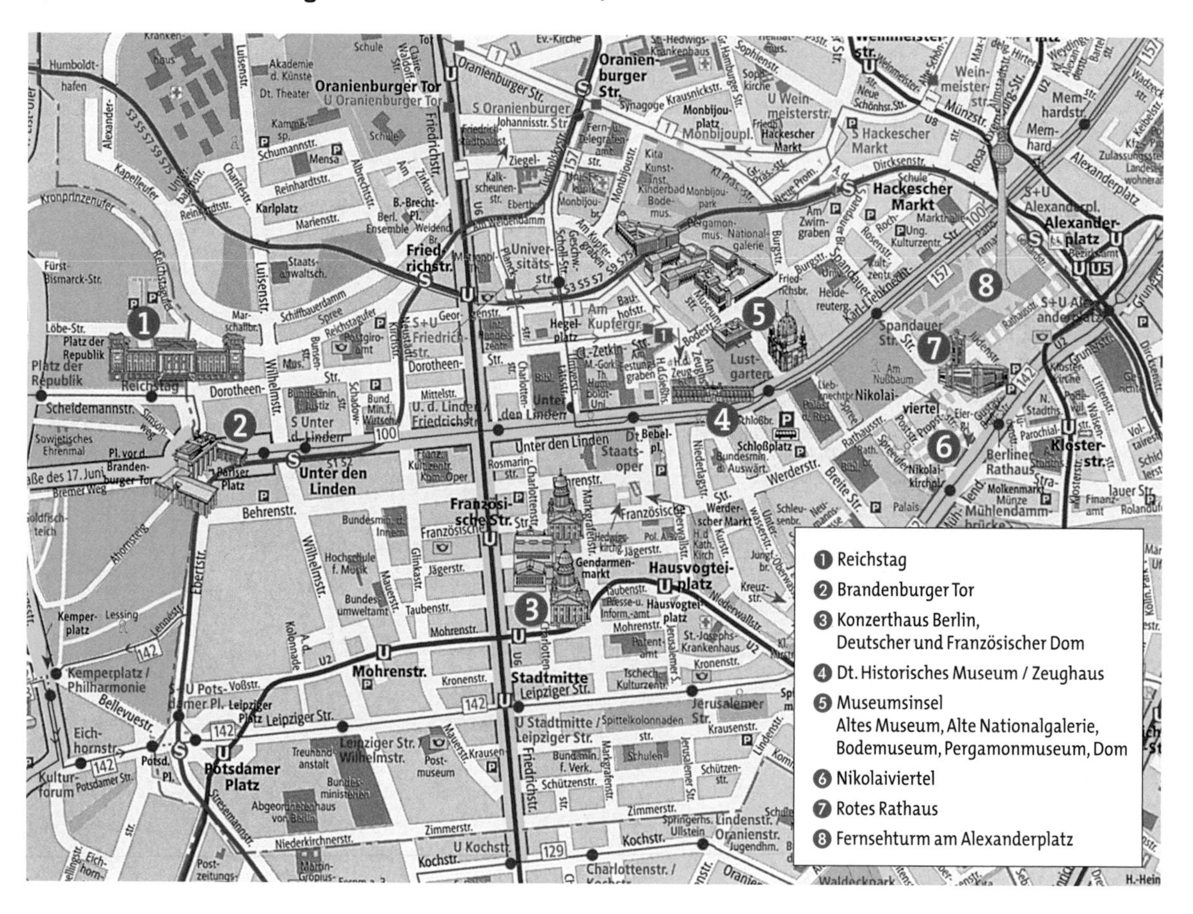

Dialog 1

■ Entschuldigung, wo geht's hier zur Friedrichstraße?

◆ Ich weiß nicht. Ich glaube, das ist ziemlich weit. Nehmen Sie den Bus.

Dialog 2

■ Entschuldigung. Wir wollen zur Friedrichstraße. Können Sie uns helfen?

◆ Oh, keine Ahnung, ich bin auch Tourist.

Dialog 3

■ Entschuldigung. Wo ist bitte die Friedrichstraße?

◆ Die Friedrichstraße? Das ist ganz einfach. Gehen Sie hier geradeaus durch das Brandenburger Tor, Unter den Linden entlang, und dann die dritte Querstraße, das ist die Friedrichstraße.

■ Vielen Dank.

11

2 Hören Sie die zwei Dialoge und sehen Sie die Karte an. Zeichnen Sie ein: Wo sind die Touristen? Wohin gehen sie?

3 12 **Aussprache *r* wie *Reichstag* oder *r* wie *Fernsehturm*?**
Hören Sie die Wörter und ordnen Sie sie zu.

r kann man hören	*r* kann man nicht hören
Reichstag	Fernsehturm

4 13 **Aussprache *r* am Silbenende. Hören Sie und sprechen Sie nach.**

hier – zur – Wo geht's hier zur Friedrichstraße?
hier – hier geradeaus – Gehen Sie hier geradeaus
das Brandenburger Tor – durch das Brandenburger Tor
die Querstraße – die zweite Querstraße – und dann die zweite Querstraße

5 Ü3-5 **Wegbeschreibung. Machen Sie ein Lernplakat mit Orten in Ihrer Stadt und beschreiben Sie es.**

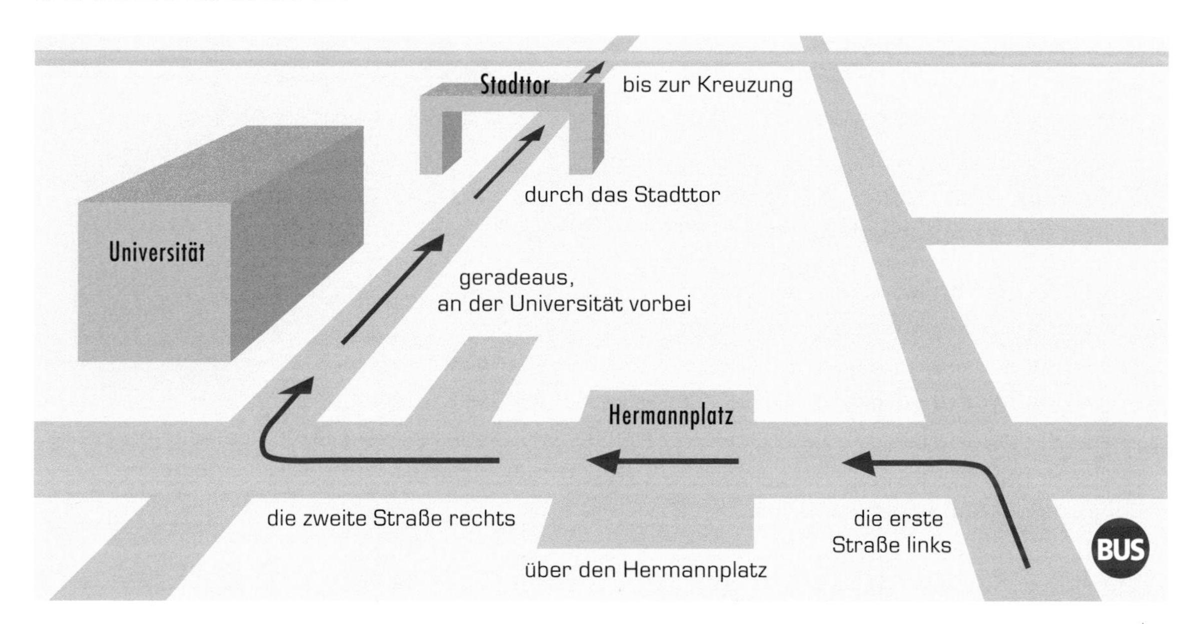

Redemittel

so kann man fragen

	wir suchen	einen Flohmarkt / ein Café / eine Bank.
Entschuldigung,	wo ist	die Friedrichstraße? / der Reichstag?
	wie komme ich wo geht es	zum Alexanderplatz? / zur Schlossbrücke?

so kann man antworten

Zuerst	gehen Sie hier	rechts/links; bis zur Kreuzung / zur Ampel. geradeaus die ... Straße entlang.
Dann	die erste/zweite/... Straße links/rechts.	
Danach	links, an der/dem ... vorbei. Dann sehen Sie den/das/die ...	

14 Ü6

6 Nach dem Weg fragen. Dialoge üben.

a) Hören Sie die Dialoge 1 und 2 und lesen Sie die Notizen.

b) Hören Sie Dialog 3 und notieren Sie.

1. Zur Nationalgalerie?

Links durch den Garten, dann rechts die Burgstraße entlang bis zur Nationalgalerie.

2. Zum U-Bahnhof Friedrichstraße?

An der Universität vorbei, geradeaus über den Hegelplatz. An der ersten Ampel links.

3. Zur Humboldt-Universität?

Erst .... *An der Ampel* .... *Dann* .... *den Bebelplatz und dann* ....

15

7 Aussprache *l* und *r*. Hören Sie und sprechen Sie, zuerst langsam und dann immer schneller.

rechts und links
nach links fahren
an der Ampel rechts
an der Ampel geradeaus
die Straße entlang
die Schlossbrücke
die Nationalgalerie
die Ampelkreuzung

LICHTUNG

manche meinen,
lechts und rinks
kann man nicht velwechsern,
werch ein illtum

ernst jandl

8 Tourismus-Wortschatz systematisch. Sammeln Sie.

Ü7–8

was Touristen sehen	was Touristen tun	was Touristen brauchen
die Kirche	*besichtigen*	*eine Kamera*
die Oper	*suchen*	*den Bus*
....	*einkaufen*	*eine Bank*
....	....	....

9 Touristen in Ihrer Stadt.

Planen und spielen Sie die Dialoge.

Was besichtigen sie?
Wie fragen sie?

Tourist-Information
Rathausplatz 3 · Neues Rathaus
Mo–Fr 8:30–18 Uhr, Okt bis 17 Uhr
Sa, So, Feiertage 9–16 Uhr

3 Wohin gehen die Touristen?

1 Wohin gehen die Touristen? **Lesen Sie die Tabelle und ergänzen Sie die Bildunterschriften.**

Grammatik

in, durch, über **+ Akkusativ**

Die Touristen	gehen	in	den Park. das Museum. die Galerie.
Sie	laufen	durch	den Park. das Stadttor. die Fußgängerzone.
Sie	gehen	über	den Marktplatz. das Messegelände. die Schlossbrücke.

zu, an ... vorbei **+ Dativ**

Sie	fahren	zum	Stadion. Zoo. Bahnhof.	
Sie	gehen	zur	Touristeninformation. Schlossbrücke.	
Sie	fahren	an der am	Universität Bahnhof	vorbei.

Minimemo

in das = **ins**
zu dem = **zum**
zu der = **zur**
an dem = **am**

Die Touristen gehen ...

ins ....

2 Orientierungsspiel. **Spielen Sie im Kurs.**

Wie komme ich zur Sprachschule?
Die erste rechts, am Museum vorbei und dann wieder rechts.
Sprachschule
Zoo
Tor
Museum
Universität
Bahnhof

  **3** Mit einem Stadtplan üben. **Markieren Sie Start und Ziel. Spielen Sie die Dialoge.**

Ü9

Entschuldigung, wie komme ich zum Bahnhof?

zum Marktplatz – zur Goethestraße – zum Theater – zum Schwimmbad ...

4 Die Exkursion

1 **Zwei Interviews. Gute Tipps zu Berlin.**
Ü 10 **Lesen Sie die Texte und tragen Sie ein. Wer ist wer?**

Tanja Cherbatova

Tanja findet Berlin super. Die Exkursion hat ihr Spaß gemacht, der Flohmarkt, die Disko, der Potsdamer Platz. „Berlin ist sehr modern“, sagt sie. Das gefällt ihr. In der Gruppe war eine tolle Atmosphäre. Das ist auch gut für das Studium. Man lernt die anderen Studenten gut kennen. Tanja sagt, dass sie leider keine Berliner kennt. Sie möchte bald wieder nach Berlin fahren.

Marcel Schreiber

Marcel findet die Berlin-Exkursion auch toll, aber zu kurz. Man braucht mehr Zeit für die Stadt. Er will wieder nach Berlin fahren. Er interessiert sich für Architektur. Modern, klassisch, alt, neu – hier gibt es alles. Er hat ein Fahrrad gemietet und war abends unterwegs. Marcel hat 200 Fotos gemacht.

M besichtigt gern Häuser. ☐ mag besonders das moderne Berlin.
☐ findet eine Exkursion für die Gruppe gut. ☐ ist sportlich und gern unterwegs.
☐ hat viel fotografiert. ☐ mag Musik und Diskos.

2 **Postkarten**
Ü 11

a) Lesen Sie die Karte und vergleichen Sie mit dem Programm. Welcher Tag ist das?

Hallo Carla,
Berlin ist cool. Wir haben heute eine Stadtrundfahrt gemacht. Dann haben wir den Reichstag besucht und das Brandenburger Tor besichtigt, dann waren wir auf der Museumsinsel. Und abends haben wir im Club 21 gefeiert. Und du warst nicht hier! Schade!
Liebe Grüße
Dein Marcel

Carla Schmidt
Neugasse 22
07740 Jena

b) Schreiben Sie eine Postkarte an einen Freund, eine Freundin. Die Informationen finden Sie im Programm.

Liebe(r) ....,

Schöne Grüße aus Berlin! Heute haben wir eine .... gemacht und dann die .... besucht. Es war toll!

Wir haben viele Fotos gemacht.

Gestern waren wir im .... und haben .... gemacht.

Dein/e ....

Meine(e) Freund(in)
Musterstraße 4
12345 Musterstadt

Das Exkursionsprogramm

	26. Juni
8.30 Uhr	Abfahrt Busbahnhof Jena
14.00 Uhr	Ankunft Berlin Comfort-Hotel Lichtenberg
15.30 Uhr	Abfahrt zum Deutschen Theater, am Gendarmenmarkt Karten kaufen
bis 19.00 Uhr	frei, Stadtbummel, z. B. Friedrichstraße, Unter den Linden
19.30 Uhr	Theaterbesuch
	27. Juni
8.30 Uhr	Frühstück im Hotel
9.30 Uhr	Stadtrundfahrt: Mitte, Unter den Linden, Brandenburger Tor, Bundeskanzleramt, Museumsinsel, Schloss Bellevue, Reichstag
14.30–16.00 Uhr	Besuch im Reichstag
16.00–18.00 Uhr	Bummeln im Regierungsviertel
Abends	Freizeit
	28. Juni
8.30 Uhr	Frühstück im Hotel
9.30 Uhr	Thematische Stadtführungen für Gruppen a) Bertolt Brecht in Berlin b) Jüdische Kultur in Berlin c) die Berliner Mauer
14.30–18.00 Uhr	Christopher Street Day, Besuch der Parade
Abends	Freizeit
	29. Juni
8.30 Uhr	Frühstück im Hotel
9.30 Uhr	Museumsbesuch: Museumsinsel
14.00 Uhr	Rückfahrt

3 Projekt: Internetrallye „Berlin sehen". Machen Sie einen virtuellen Spaziergang.

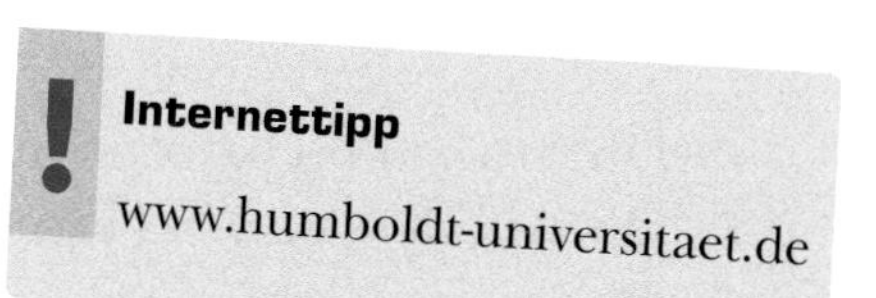

Notieren Sie: Welche Häuser sehen Sie?
Nennen Sie drei weitere Stadtviertel: Mitte, ...
Was kommt heute im Kino?
Finden Sie drei Theater. Vergleichen Sie das Programm. Was gefällt Ihnen heute?
Was kosten die Karten?
Gibt es diese Woche ein interessantes Konzert?

Übungen 8

1 Häuser und Orte

a) Finden Sie die fünf Wörter und ergänzen Sie die Artikel. Das Suchrätsel hilft.

1. Hier kann man studieren.

   ....

2. Hier fahren die Leute mit dem Zug ab.

   ....

3. Es ist ein Haus. Das Haus ist groß und hat viele Zimmer. ....

4. Hier gibt es oft viele Cafés und die Leute sitzen draußen. Oft gibt es auch einen Markt.

   ....

5. Hier hört man Musik. Nicht alle Leute mögen die Musik.

   ....

L	B	C	E	G	U	L	B	P	X	L
M	A	L	I	A	M	U	R	L	A	U
M	H	A	I	L	A	N	T	A	R	Z
U	N	I	V	E	R	S	I	T	Ä	T
S	H	O	N	R	E	C	U	Z	I	U
E	O	I	L	I	E	H	A	M	B	R
U	F	I	S	E	A	L	A	U	P	M
M	E	I	L	I	M	O	P	E	R	E
E	I	L	W	A	U	S	E	I	F	H
H	O	T	E	L	H	S	I	L	E	U

b) Es gibt noch vier andere Wörter. Finden Sie sie?

1. .... 3. ....

2. .... 4. ....

2 Was ist richtig? Lesen Sie den Text und kreuzen Sie an.

Am 12. August machen wir eine Fahrt nach Berlin. Wir fahren mit dem Bus um 8.30 Uhr ab und sind um 14 Uhr am Hotel in Berlin. Zuerst machen wir in Berlin eine Stadtrundfahrt mit der Linie 100 (Abfahrt 14.30 Uhr). Wir fahren mit dem Bus an vielen Sehenswürdigkeiten vorbei. Um 15.30 Uhr sind wir im Regierungsviertel. Das Bundeskanzleramt können wir leider nicht besuchen. Um 18 Uhr gehen wir gemeinsam essen. Danach haben alle Freizeit: Sie können z. B. ins Theater gehen oder in eine Disko. Am zweiten Tag gehen wir nach dem Frühstück zusammen auf einen Flohmarkt (ab 9 Uhr). Dort haben Sie zwei Stunden frei. Sie können sich alles in Ruhe ansehen. Danach fahren wir mit der U-Bahn zum Potsdamer Platz. Hier essen wir auch zu Mittag. Um 14 Uhr fahren wir mit dem Bus zum Hotel und von dort zurück nach Jena. Etwa um 19.30 Uhr sind wir wieder in Jena.

1. Die Studenten fahren mit dem Bus Linie 100 nach Berlin. ☐
2. Die Abfahrt aus Jena ist um 8.30 Uhr. ☐
3. Die Gruppe besucht das Bundeskanzleramt. ☐
4. Abends können alle ins Theater oder in die Disko gehen. ☐
5. Die Studenten frühstücken auf dem Flohmarkt. ☐
6. Die Gruppe isst am Potsdamer Platz zu Mittag. ☐
7. Am nächsten Tag fahren die Studenten wieder zurück nach Jena. ☐

3 Orientierung in der Stadt. **Ordnen Sie die Bilder den Sätzen zu.**

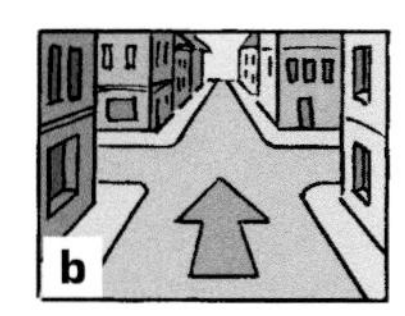

1. ▢ Gehen Sie hier rechts.
2. ▢ Gehen Sie hier links.
3. ▢ Gehen Sie geradeaus.
4. ▢ Gehen Sie die Straße entlang.
5. ▢ Gehen Sie bis zur Ampel.
6. ▢ Gehen Sie bis zur Kreuzung.
7. ▢ Gehen Sie die zweite Straße links.
8. ▢ Gehen Sie an der Kirche vorbei.
9. ▢ Gehen Sie über den Platz.

4 a) Wegbeschreibung. **Ergänzen Sie die Antwort. Das Bild hilft.**

■ Entschuldigung, ich suche ...

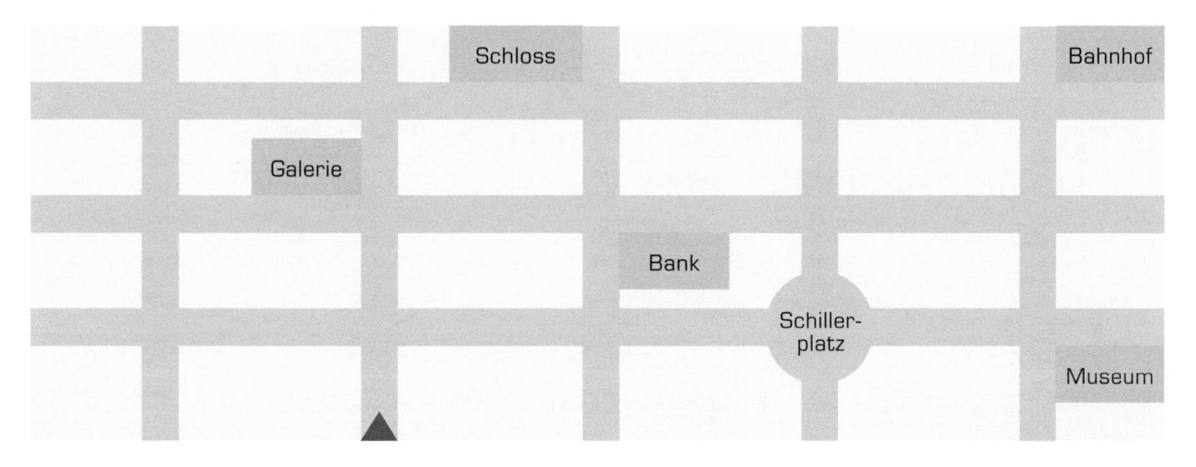

1. ◆ Gehen Sie geradeaus und die erste Straße rechts. Dann weiter über den Schillerplatz. .... ist an der nächsten Kreuzung rechts.

2. ◆ Gehen Sie geradeaus bis zur dritten Kreuzung. Dann gehen Sie rechts. .... ist an der nächsten Kreuzung auf der linken Seite.

3. ◆ Gehen Sie geradeaus und an der nächsten Kreuzung rechts. Dann die nächste Straße links. .... ist das große moderne Haus auf der rechten Seite.

16

b) Hören Sie den Dialog und zeichnen Sie den Weg ein. Was ist das Ziel?

....

17 **5** Textkaraoke. **Hören Sie und sprechen Sie die 👄-Rolle im Dialog.**

👂 …
👄 Ja, gehen Sie geradeaus und an der nächsten Kreuzung rechts.
Dann die nächste Straße links.
👂 …
👄 Nein, an der nächsten Kreuzung rechts.
👂 …
👄 Die Bank ist das große moderne Haus auf der rechten Seite.
👂 …
👄 Na ja, etwa fünf Minuten.
👂 …

6 Orientierung mit dem Stadtplan. **Nadine und Steffi sind im Café am Savignyplatz. Herr Bettermann will sie an der Deutschen Oper in der Bismarckstraße treffen. Wie gehen sie? Notieren Sie den Weg.**

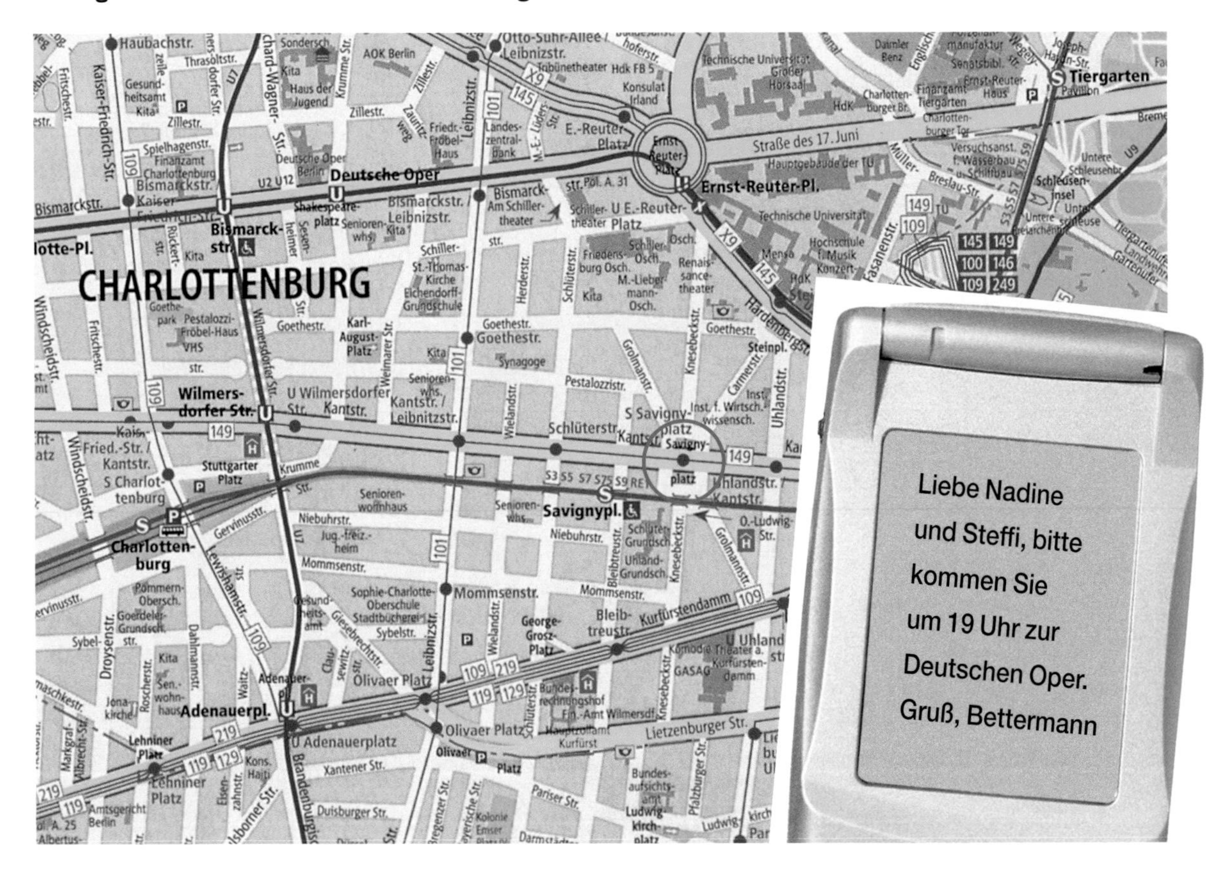

Steffi und Nadine gehen die Grolmannstraße entlang bis ……………………………………………

……………………………………………………………………

……………………………………………………………………

……………………………………………………………………

……………………………………………………………………

……………………………………………………………………

……………………………………………………………………

7 Wiederholung: ein Foto beschreiben. Im Hotel „Lichtenberg": Was ist wo? Schreiben Sie mindestens sechs Sätze.

das Hemd
die Krawatte
die Hose
die Schuhe

Das Handy liegt auf dem Buch.

Die Lampe ist auf dem Tisch.
Das Hemd liegt auf dem Bett.
Die Blume ist auf dem Tisch?
Die Buch liegt auf der Koffer.
Die Krawatte liegt auf dem Bett.
Die Schuhe liegt unter dem Tisch

8 Was passt? Kreuzen Sie die richtigen Verben an.

1. eine Kirche
   - ☐ besichtigen
   - ☐ fahren
   - ☐ einkaufen

2. nach dem Weg
   - ☐ sehen
   - ☐ gehen
   - ☐ fragen

3. eine Straße
   - ☐ entlang gehen
   - ☐ kommen
   - ☐ machen

4. den Bus
   - ☐ nennen
   - ☐ nehmen
   - ☐ sitzen

9 Ergänzen Sie die Präpositionen.

■ Entschuldigung, wie kommen wir .... Fernsehturm?

◆ Zuerst gehen Sie geradeaus bis .... nächsten Ampel. Dann rechts die Grunerstraße entlang bis .... Alexanderplatz. Gehen Sie .... den Platz bis .... Fernsehturm.

■ Verzeihung, gibt es hier eine Touristeninformation?

◆ Ja, gleich hier .... Bahnhof.

■ Entschuldigung, gibt es hier in der Nähe ein Café?

◆ Ja, gehen Sie .... das Brandenburger Tor und .... den Pariser Platz. Auf der linken Seite sehen Sie ein Café.

10 Der Berlinbesuch. **Wer will was machen?**

a) Ergänzen Sie die fehlenden Formen von *wollen* im Heft.

b) Ergänzen Sie die Sätze mit den Formen von *wollen*.

ich will	wir ...
du willst	ihr wollt
er/es/sie ...	sie/Sie ...

1. Mirko sagt: „Ich .... in der Friedrichstraße einkaufen.
   Natascha, ... du auch mitkommen?“
2. Natascha hat keine Lust. Sie .... lieber den Reichstag besichtigen.
3. Atsuko und Tetsuya fragen: „Fahren wir am Potsdamer Platz vorbei?
   Wir .... Fotos machen.“
4. Der Busfahrer antwortet: „Die Stadtrundfahrt ist am Sony-Center zu Ende.
   Dann habt ihr frei. Ihr könnt dann machen, was ihr ....“
   Der Busfahrer .... seine Ruhe haben.

11 **Was wollen die Studentinnen und Studenten bei einer Exkursion alles machen? Ordnen Sie zu.**

1. ☐ ins Theater gehen
2. ☐ tanzen gehen
3. ☐ eine Ausstellung besuchen
4. ☐ eine Stadtrundfahrt machen
5. ☐ auf den Flohmarkt gehen
6. ☐ ein Konzert besuchen
7. ☐ ins Kino gehen

Das kann ich auf Deutsch

mich in der Stadt orientieren

- ■ Entschuldigung, wo geht's hier zur Goethestraße?
- ◆ Gehen Sie gleich hier rechts. Die erste Straße links ist die Goethestraße.
- ■ Wo ist der Marktplatz? / Wie komme ich zum Hotel „Schwarzer Bär"?
- ◆ Gehen Sie die zweite Straße links und dann geradeaus.

Wortfelder

Sehenswürdigkeiten in der Stadt

das Regierungsviertel, der Fernsehturm, die Oper, der Dom,
die Universität, der Marktplatz, das Museum, das Schloss ...

was Touristinnen und Touristen tun

die Touristeninformation suchen, eine Kirche besichtigen, durch die Stadt bummeln,
Geld wechseln, ins Theater gehen, Fotos machen ...

Grammatik

***in, durch, über* + Akkusativ**

ins Museum, **durch den** Park, **über die** Brücke

***zu, an ... vorbei* + Dativ**

zum Bahnhof, bis **zur** Kreuzung, **an der** Universität **vorbei**

Modalverb *wollen*

Nadine **will** einkaufen gehen, aber Steffi **will** ins Café. Die Studentinnen und
Studenten **wollen** den Dom besichtigen.

Aussprache

Konsonanten *r, l*

hier, zur, Reichstag, Turm, Hotel, links, Ampelkreuzung

18

Laut lesen und lernen

Wo ist hier die U-Bahn?
Welcher Bus fährt zum Schloss?
Können Sie mir helfen? Wie komme ich zur Touristeninformation?
Berlin finde ich super! Die Stadt ist cool!

Station 2

1 Berufsbilder

1 a) **Beruf *Sekretärin.* Wo arbeitet Frau Herbst? Kennen Sie die Firma?**

Ich bin Sarah Herbst. Ich arbeite als Sekretärin bei der Firma STEIFF in Giengen. STEIFF produziert Teddybären und Stofftiere. Meine Arbeit ist sehr interessant und ich habe immer viel zu tun. Ich mache alle typischen Büroarbeiten: Texte am Computer schreiben, Telefonate führen, E-Mails schreiben und beantworten, Faxe senden, für meinen Chef Termine machen und viel organisieren. Unsere Firma kooperiert mit vielen nationalen und internationalen Partnern. Für die Geschäftsreisen muss ich Termine koordinieren und Flüge und Hotelzimmer buchen. Oft kommen die Geschäftspartner auch in unsere Firma. Ich organisiere dann die Besprechungen gemeinsam mit meinem Chef, begrüße und betreue die Gäste und schreibe die Sitzungsprotokolle. Kommunikation, Organisation und Fremdsprachenkenntnisse sind wichtig für die Karriere.

b) **Was machen Sekretärinnen? Lesen Sie den Text und notieren Sie die Tätigkeiten auf den Fotos.**

a) Texte .... b) ....

c) .... d) .... e) ....

2 **Frau Herbst am Telefon. Hier sind die Stichwörter. Spielen Sie das Gespräch.**

Termin mit Herrn Schneider? – Freitag, 11.12. um neun? – geht nicht – 13 Uhr? – okay

3 a) Beruf *Automechaniker.* Sehen Sie die Fotos an. Was kennen Sie? Welche Wörter im Text passen zu den Fotos? Markieren Sie.

Mein Name ist Klaus Stephan. Ich arbeite als Automechaniker in einer Audi-Werkstatt in Emden.
Wir sind fünf Kollegen: ein Meister, drei Azubis und ich. Unsere Arbeitszeit ist von 7 Uhr 30 bis 17 Uhr. Mittagspause ist von 12 bis 13 Uhr. Oft arbeiten wir bis 18 Uhr. Am Samstag müssen drei Kollegen bis mittags arbeiten. Wir können wechseln.
Wir machen den Service für alle Audi-Modelle. Meine Aufgaben sind: Diagnose, Termine machen, reparieren und Kunden beraten. Service schreiben wir groß! Die Kunden bringen morgens ihre Autos und am Abend können sie sie meistens schon abholen.
Aber: Guter Service ist nicht billig. Manchmal gibt es Diskussionen mit den Kunden über die Kosten.

b) Vergleichen Sie die Texte. Drei Informationen sind nicht korrekt. Notieren Sie.

Ich bin Klaus Stephan und arbeite als Automechaniker bei Audi. Wir sind fünf Kollegen: zwei Meister und drei Azubis. Wir arbeiten von Montag bis Freitag von 7 Uhr 30 bis 17 Uhr mit einer Pause von 12 bis 13 Uhr. Der Samstag ist frei. Die Meister müssen auch am Samstag arbeiten. Wir machen den Service für alle Audi-Modelle. Meine Aufgaben sind: Diagnose, Termine machen, reparieren, Kunden beraten. Service schreiben wir groß! Die Kunden bringen morgens ihre Autos und am Abend können sie sie meistens schon abholen. Aber: Guter Service ist teuer. Doch es gibt keine Diskussionen über die Kosten.

c) In der Autowerkstatt. Was fragen Kunden? Notieren Sie die passenden Fragen.

1. Nein, die Reparatur ist nicht teuer, vielleicht 50 Euro. — *Ist die Reparatur teuer?*
2. Leider ist der Motor kaputt.
3. Ihr Auto ist am Dienstagabend fertig.
4. Das kostet 220 Euro. — Was ...
5. Nein, am Samstag geht es nicht. — Geht es auch ...

2 Wörter, Spiele, Training

1 **a) Mein Arbeitstag. Bringen Sie die Sätze in die richtige Reihenfolge.**

1. ☐ Am Nachmittag erledige ich die Büroarbeiten.
2. ☐ Um 17 Uhr macht die Praxis zu.
3. ☐ Ich fahre jeden Morgen 15 Minuten mit dem Bus in die Stadt.
4. ☐ Von 12 bis 13 Uhr haben wir Mittagspause.
5. *1* Ich bin Arzthelferin in einer Zahnarztpraxis. So sieht mein Tag aus:
6. ☐ Um acht bin ich in der Praxis.
7. ☐ Die Sprechstunde beginnt um neun Uhr.
8. ☐ Am Vormittag klingelt das Telefon besonders oft.

b) Schreiben Sie einen kurzen Text über Ihren Arbeitstag.

Ich-Texte schreiben

Ich bin … / arbeite als …
Ich komme um …
Von … bis … / habe ich Pause.

2 **Wortschatz wiederholen**

a) Ordnen Sie die Wörter in die Tabelle. Vergessen Sie die Artikel nicht.

arbeiten – Bus – Computer – Drucker – fahren – Monitor – Balkon – notieren – Rad – Bücherregal – Küche – Bad – schreiben – Taxi – kochen – telefonieren – U-Bahn – Verkehr – Zug – Fax

Verkehrsmittel	Büro	Wohnung
der Bus		

b) Wählen Sie ein Wortfeld aus. Machen Sie ein Lernplakat. Vergleichen Sie die Plakate im Kurs.

1. mein Tagesablauf
2. mein Arbeitsplatz
3. in Berlin als Tourist

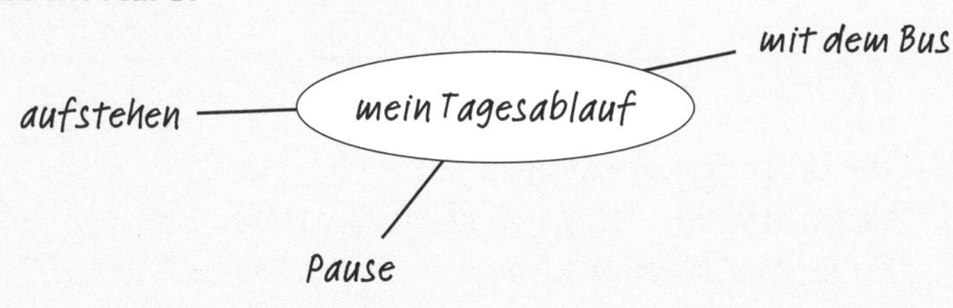

3 **Berufe raten.** **Welche Berufe aus den Einheiten 5 bis 8 sind das?**

Kursbuch, Tafel, Wörter erklären, ... – die Lehrerin / der Lehrer

1. Computer, Software, Programme schreiben ....
2. Büro, Telefon, Termine machen ....
3. Speisekarte, Getränke, kassieren ....
4. Sport, Aerobic, Kurse planen ....
5. Maschine, Technik, reparieren ....
6. Patienten untersuchen, Praxis ....
7. Flugzeiten, Flugtickets, telefonieren ....

4 **Übungen selbst machen.** **Arbeiten Sie in Gruppen.**

a) Schreiben Sie zehn Aufgaben zu den Einheiten 5 bis 8.

Beispiele zu Einheit 7
1. Beruf Arzt. Wie heißt die feminine Form?
2. Was macht ein Programmierer? Nennen Sie zwei Tätigkeiten.
3. Herr Jacobsen organisiert Sportkurse. Welchen Beruf hat er?
4. Artikelwörter im Akkusativ, maskulin, Singular – wie heißt die Endung?
5. Nennen Sie drei Informationen auf Visitenkarten.
6. ...

b) Gruppe 1 spielt „Fußball" gegen Gruppe 2.

Gruppe 1 fragt, Gruppe 2 antwortet falsch. Der Ball geht ein Feld nach rechts. Gruppe 2 fragt, Gruppe 1 antwortet richtig. Der Ball geht ins Tor: „1 zu 0" für Gruppe 1. usw.

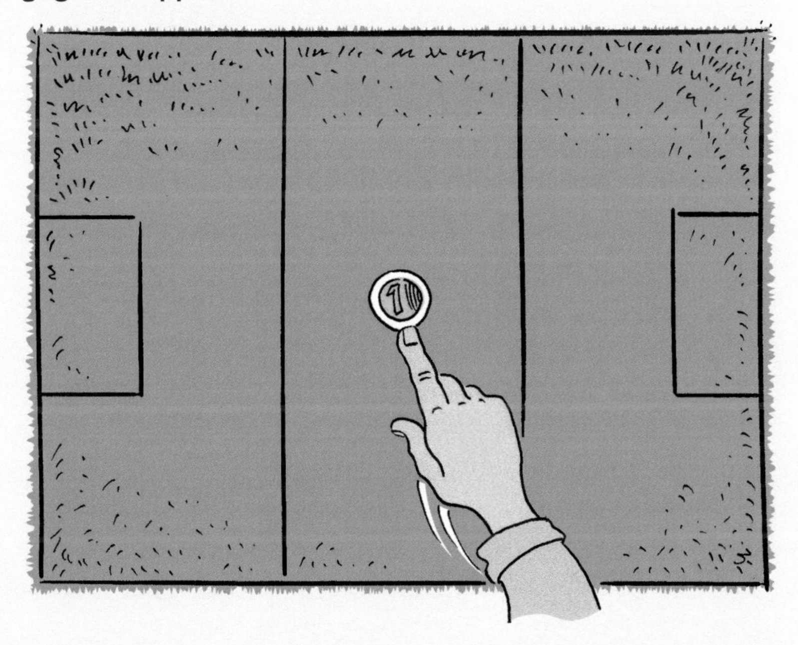

5 **Eine Wortschatzübung selbst machen.**

a) Schreiben Sie drei Wörterreihen auf ein Blatt, ein Wort passt nicht in die Reihe.

Tafel – Computer – Wörterbuch – ~~T-Shirt~~
fragen – baden – antworten – schreiben
hell – alt – zwei – modern

b) Geben Sie das Blatt Ihrer Nachbarin / Ihrem Nachbarn. Sie/Er streicht durch.

3 Grammatik und Selbstevaluation

1 **Präpositionen üben.** Ergänzen Sie.

1. Am Wochenende fahren wir .... Berlin.
2. Ich fahre .... dem Rad zur Arbeit.
3. Ich kann leider nur .... Freitagmittag.
4. .... neun Uhr habe ich Zeit.
5. Die Besprechung ist .... der 3. Etage.
6. Die Buchhandlung ist .... 20 Uhr offen.
7. Dr. Specht hat .... 7.30 .... 16 Uhr Sprechstunde.
8. Die Praxis ist .... Ärztehaus.

2 **Fragen üben.** Wie heißen die Fragen zu den Aussagen?

Die Sprechstunde beginnt um 8.00. – Wann beginnt die Sprechstunde?

1. Die Berlin-Exkursion ist am Wochenende. ....
2. Ich fahre mit dem Rad zur Arbeit. *Wie* ....
3. Ich kann leider nur am Freitagvormittag. ....
4. Um neun Uhr habe ich Zeit. ....
5. Die Besprechung geht von 14 bis 16 Uhr. ....

3 **Systematisch wiederholen – Selbsttest.**
Wiederholen Sie die Übungen. Was meinen Sie: ☺ oder ☹?

Ich kann auf Deutsch	Einheit	Übung	☺ gut	☹ noch nicht so gut
1. einen Tagesablauf beschreiben	7	4.2	✗	■
2. die Uhrzeiten sagen	5	1.5	■	■
3. einen Termin machen	5	4.2	■	■
4. sagen, wo etwas ist	6	3.2	■	■
5. Berufe und Tätigkeiten nennen	7	2.3c	■	■
6. eine Postkarte schreiben	8	4.2b	■	■
7. Touristenziele in Berlin nennen	8	1.3	■	■
8. nach dem Weg fragen	8	3.2	■	■

4 **Über den Deutschkurs nachdenken.** Notieren Sie und sprechen Sie über die Notizen.

hat Spaß gemacht / war super	war nicht so interessant	war schwer
die Videoübungen, S.	....	....

4 Phonetik intensiv

19

1 Konsonantentraining. Hören, lesen und laut sprechen

a) *p* und *b*

die Bahn und die Post – Passau und Bremen – Briefe beantworten und Post prüfen – Paris besuchen – den Preis bezahlen – Probleme bearbeiten

halb acht – Gib Peter auch etwas! – gelb – Ich hab' dich lieb.

20

b) *t* und *d*

dreihundert, dreiunddreißig – Dativ testen – Tee trinken – der Tisch und die Tür – Deutsches Theater – tolle Türkei – Touristen dirigieren – danach telefonieren

21

c) *k* und *g*

im Garten Karten spielen – Kalender kontrollieren – kalte Getränke kaufen – Grammatik korrigieren – großer Kurs – kommen und gehen

der Geburtstag – der Weg nach Nürnberg

22

d) [f] und [v]

Wie viel? – Wohin fahren wir? – nach Wien fahren – in Frankfurt wohnen – viel Wein trinken – vier Flaschen Wasser

23

e) [f], [v] und [b]

viele Fernseher funktionieren nicht – wir wollen vier Bier – viele Berliner frühstücken Frankfurter – Freunde in Warschau besuchen – viele Flüge finden

Ein Zungenbrecher:
Wenn Fliegen hinter Fliegen fliegen,
fliegen Fliegen Fliegen nach.

24

f) *r* am Silbenende

Berlin – Görlitz – Nürnberg – Querfurt – Hamburg – Düsseldorf – Dortmund

25

g) *r* und *l*

links und rechts – richtig liegen – reden und lieben – rote Lampen, eine lange Reise – ein lautes Radio – großes Glück

Ein Zungenbrecher:
Blaukraut bleibt Blaukraut,
und Brautkleid bleibt Brautkleid.

5 Videostation 2

1 Katja in Berlin. **Lesen Sie den Text. Drei Informationen sind nicht richtig. Sehen Sie das Video an und korrigieren Sie.**

12:06

Katja fährt von Jena nach Berlin. Sie kommt am Bahnhof Zoologischer Garten an. Zuerst macht sie eine Stadtrundfahrt. Dann ruft sie Frau Meinberg an. Das ist die Tante von Justyna. Sie kann bei Frau Meinberg übernachten. Frau Meinberg wohnt am Nollendorfplatz. Die Stadtrundfahrt mit dem Bus Linie 100 macht Katja Spaß. Im Bus sitzt sie oben und hört eine Musik-CD. Sie fährt durch den Bezirk Berlin-Mitte. Sie sieht den Reichstag, das Bundeskanzleramt, die Friedrichstraße, das Brandenburger Tor und das Marlene-Dietrich-Museum. Dann fragt sie nach dem Weg und fährt mit dem Bus und mit der U-Bahn zu Frau Meinberg.

17:33

2 Katja fragt nach dem Weg. **Ergänzen Sie die Dialoge.**

Katja: Entschuldigen Sie, wie komme ich vom Ku'damm zum Viktoria-Luise-Platz?

Mann: Am besten fahren Sie .... bis zum Nollendorfplatz und dort steigen Sie dann in die .... Richtung Innsbrucker Platz.

Katja: Moment, zuerst nehme ich den Bus ....

Mann: Nein, nein, es ist der Bus .... vom Ku'damm bis zum Nollendorfplatz! Es sind circa .... Stationen.

Katja: Gut, ..., und dann die ....

Mann: Ja, genau.

Katja: Vielen Dank, auf Wiedersehen!

18:40

3 Frau Meinberg zeigt Katja ihre Wohnung.
Was ist wo? Ordnen Sie zu und ergänzen Sie.

Das Regal	1		
Die Kaffeemaschine	2	a	steht in der Küche.
Die Uhr	3	b	steht im Wohnzimmer.
Der Fernseher	4	c	ist im Bad.
Das Sofa	5	d	steht im Arbeitszimmer.
Der Spiegel	6	e	ist im Gästezimmer.
Katjas Bett	7	f	steht im Schlafzimmer.
Der Computer	8		

21:14

4 Katja hat einen Termin im Verlag mit Frau Dr. Garve.
Sehen Sie die Szene und spielen Sie den Dialog.

Mein Name ist Katja Damsch. Ich möchte ...

Haben Sie ...?

22:40

5 Ein Büro im Verlag. Notieren Sie Gegenstände.

Möbel	auf dem Tisch	im Regal
der Stuhl		

22:01

6 Ein Interview im Verlag.
Notieren Sie zwei Fragen von Frau Dr. Garve und schreiben Sie die Antworten von Katja in Stichworten.

9 Ferien und Urlaub

1 Urlaub in Deutschland

1 Sehen Sie die Fotos an. Was kennen Sie?

2 Lesen Sie die Texte und ordnen Sie das richtige Foto zu.
Ü 1–2

Topreiseziele in Deutschland

1

Sonne, Strand und Meer – viele Urlauber machen im Juli und August Ferien an der Ostsee, zum Beispiel auf der Insel Rügen. Die Insel ist im Norden besonders schön.

2

Die Insel Sylt in der Nordsee ist auch sehr beliebt. Aus dem Flugzeug kann man die Insel gut sehen. Sie ist lang und schmal und es gibt viele Rad- und Wanderwege.

3

Für Stadturlauber ist Heidelberg immer ein Reiseziel. Touristen aus dem In- und Ausland besuchen gern die Altstadt am Neckar und das Schloss.

4

Im Allgäu erholen sich viele Urlauber. In den Bergen kann man wandern, und das Schloss Neuschwanstein ist eine Touristenattraktion. Aber eine Besichtigung kostet viel Zeit. Es gibt fast immer Warteschlangen vor dem Schloss.

Hier lernen Sie

- über Ferien und Urlaub sprechen
- einen Unfall beschreiben
- das Perfekt: regelmäßige und unregelmäßige Verben
- lange und kurze Vokale markieren

c

d

26

3 Urlaub in Deutschland. Wer macht wo Urlaub? Hören und notieren Sie.

	Frau Rode	Susanna	Katja und Sven	Max
Wo?	Ostsee	~~Süd~~	in Heidelberg	im Allgäu

an der Ostsee auf Sylt

4 Über Urlaub sprechen. Ü3 Fragen und antworten Sie.

Wo waren Sie im Urlaub?

Ich war auf Sylt. Es war super!

Redemittel

so kann man fragen	so kann man antworten	
Wo waren Sie im Urlaub / in den Ferien?	Ich war / Wir waren	an der Nordsee / am Bodensee in den Bergen / in Heidelberg / auf (der Insel) Rügen.
Und wie war es?	Es war	toll / super / sehr schön / langweilig / nicht so schön.
Wie war das Wetter?	Das Wetter war	prima / gut / nicht so gut / schlecht. Es hat oft geregnet.

27

5 Ein Lautdiktat. Langer oder kurzer Vokal? Hören Sie die Wörter aus Aufgabe 4. Schreiben Sie und lesen Sie laut.

kurzer Vokal: toll, ...

langer Vokal: ....

2 Ein Urlaub – vier Länder

1 **Der Donau-Radweg.**
Durch welche Länder geht er? Arbeiten Sie mit einer Europakarte.

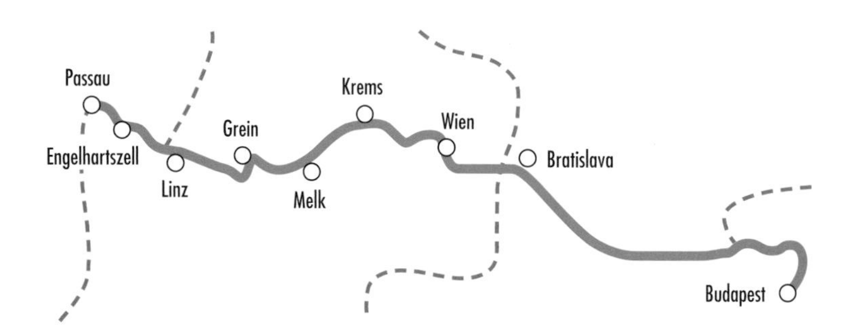

2 **Aus dem Urlaubstagebuch der Familie Mertens.**
Lesen Sie die Texte und ordnen Sie die Fotos den Tagen zu.

<u>Unser Sommerurlaub – Von Passau über Wien und Bratislava nach Budapest</u>

1. Tag: 29. Juni
Vormittags Ankunft in Passau und Stadtbesichtigung. Unsere Radtour beginnt. Die erste Etappe ist kurz, 27 km bis Engelhartszell.

2. Tag: 30. Juni
Heute haben wir 71,5 km geschafft – von Engelhartszell nach Linz. Mittags haben wir erst eingekauft und dann an der Donau Picknick gemacht. In Linz haben wir in einer Pension übernachtet, wir waren sehr müde!

3. Tag: 1. Juli
Vormittags haben wir einen Bummel durch Linz gemacht. Ich habe Linzer Torte probiert, sehr gut! Mittags Weiterfahrt Richtung Melk. Dort haben wir das Kloster besucht.

7. Tag: 5. Juli
Hurra, nach 326 km haben wir Wien erreicht! Das Riesenrad im Prater haben wir schon angeschaut und fotografiert. Morgen machen wir einen Tag Fahrradpause und besichtigen die Stadt.

9. Tag: 7. Juli
Von Wien weiter nach Bratislava, 68 km! Die Stadt ist interessant, die Menschen sind sehr gastfreundlich. Wir haben die Burg besichtigt und hatten einen schönen Blick auf die Stadt und die Donau.

20. Tag: 18. Juli
Budapest – nach 660 km haben wir unser Ziel erreicht! Die Kinder sind besonders stolz. Die Tour war toll und Budapest ist super!

a 1. Tag: Passau
b ....
c ....
d ....
e ....
f ....

3 Ferienwörter. Finden Sie zwölf Kombinationen?

eine Pause
eine Radtour
ein Picknick
ein Schloss
einen Reiseführer
Fotos
Ferien
eine Stadt

besichtigen
kaufen
machen
planen

1. *eine Pause machen*
2. ....
3. ....
4. ....
5. ....
6. ....
7. ....
8. ....
9. ....
10. ....
11. ....
12. ....

4 Fragen und antworten Sie.

Haben Sie schon mal
- eine Radtour gemacht?
- in der Ostsee gebadet?
- am Meer gezeltet?
- Budapest besucht?
- eine Städtereise geplant?
- den Stephansdom in Wien besichtigt?

Haben Sie schon mal Urlaub in Deutschland gemacht?

Ja, das habe ich schon gemacht.

Ja, na klar!

Nein, noch nie.

5 Das Perfekt mit *haben*

Ü4

a) Markieren Sie die Perfektformen in Aufgabe 2.2 und machen Sie eine Tabelle.

ge...(e)t	...ge...t	...(e)t
geschafft	*eingekauft*	*übernachtet*

Minimemo

Verben mit der Endung *-ieren* (z. B. probieren) bilden das Partizip II ohne *ge-*:
„Bei Verben mit *-ieren* kann nichts passieren."

b) Ergänzen Sie die Regel.

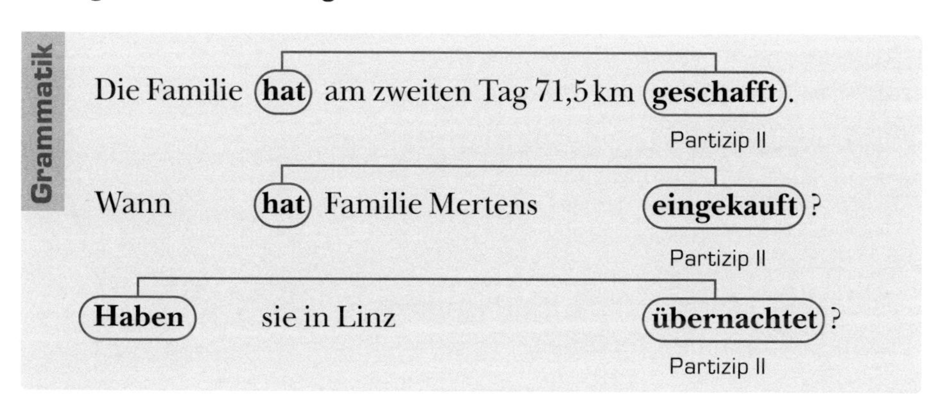

Grammatik
Die Familie hat am zweiten Tag 71,5 km geschafft.
Partizip II
Wann hat Familie Mertens eingekauft?
Partizip II
Haben sie in Linz übernachtet?
Partizip II

Regel Das Perfekt mit *haben* bildet man so: .... wird konjugiert und das .... steht am Satzende.

c) Wie heißt das Partizip II? Ergänzen Sie.

1. anschauen ....
2. arbeiten ....
3. bauen ....
4. spielen ....
5. erklären *erklärt*
6. telefonieren ....
7. beantworten ....
8. zuhören ....

3 Was ist passiert?

1 Ein Unfall. **Bringen Sie die Zeichnungen in die richtige Reihenfolge.**

2 Aus dem Urlaubstagebuch von Anja Mertens.
Ü5 **Lesen Sie und kontrollieren Sie die Reihenfolge in Aufgabe 3.1.**

6. Tag: 4. Juli
Was für ein Tag! Heute bin ich vom Rad gefallen. Kurz vor Wien haben Kinder auf der Straße Ball gespielt. Plötzlich ist der Ball in mein Rad geflogen. Der Schreck war groß. Aber es ist nicht viel passiert und ich bin gleich wieder aufgestanden. Thomas hat die Polizei angerufen. Sie ist schnell gekommen, wir haben also nicht viel Zeit verloren. Sie haben ein Protokoll geschrieben und uns geholfen. Dann haben wir erst mal eine Pause gemacht. Nach einer Stunde sind wir weitergefahren.

28 **3** Lange und kurze Vokale. **Markieren Sie die Partizipien II in Aufgabe 2. Lesen Sie dann den Text laut.**

gefallen – gespielt

4 **Anja ruft abends ihre Freundin Britta an. Was antwortet Anja auf Brittas Fragen? Ergänzen Sie und üben Sie mit Ihrer Partnerin / Ihrem Partner.**

■ Hallo Britta, hier ist Anja.
◆ Hallo, Anja, wie geht's auf eurer Radtour?
■ Ganz gut, aber heute ...
◆ Oh je, ist dir etwas passiert?
■ ...
◆ Wie ist es denn passiert?
■ ...
◆ Habt ihr die Polizei gerufen?
■ ...
◆ Und was habt ihr dann gemacht?
■ ...
◆ Wann seid ihr denn weitergefahren?
■ ...
◆ Na, dann viel Spaß noch!
■ Danke, tschüss, bis bald!

 5 **Das Perfekt mit unregelmäßigen Verben**

Ü6-7

a) Die Perfektformen in Aufgabe 2. Was ist neu?

Heute **bin** ich vom Rad **gefallen**. [...] Thomas **hat** die Polizei **angerufen**.

b) Tragen Sie die neuen Partizip-II-Formen in die Tabelle ein.

ge...en	...ge...en	...en
fallen –	aufstehen – aufgestanden	verlieren –
fliegen –	anrufen –	
kommen –	weiterfahren –	
schreiben –		
helfen –		

Minimemo

Die meisten Verben bilden das Perfekt mit *haben*.
Lernen Sie das Perfekt mit *sein*:
fahren – ist gefahren, laufen – ist gelaufen, fliegen – ist geflogen, bleiben – ist geblieben, passieren – ist passiert, sein – ist gewesen

 6 **Drei Interviews. Was haben Manja, Herr Demme und Frau Biechele im Urlaub gemacht? Hören Sie und ergänzen Sie die Tabelle.**

29

	Manja	Herr Demme	Frau Biechele
Wo?			
Was?			

7 **Was haben Sie im Urlaub gemacht? Fragen Sie im Kurs.**

Ü8-9

8 **Mein Urlaub. Schreiben Sie einen kurzen Text.**

Wann? – Wo? – Wie war das Wetter? – Was haben Sie gemacht?

Ich-Texte schreiben

Ich war vom ... bis zum ... im Urlaub.
Ich war ...
Das Wetter war ...
Ich habe viel ... und ich bin oft ...

4 Urlaubsplanung und Ferientermine

1 **Die Monate.** **Sehen Sie die Kalender an und ergänzen Sie die Monatsnamen im Text.**

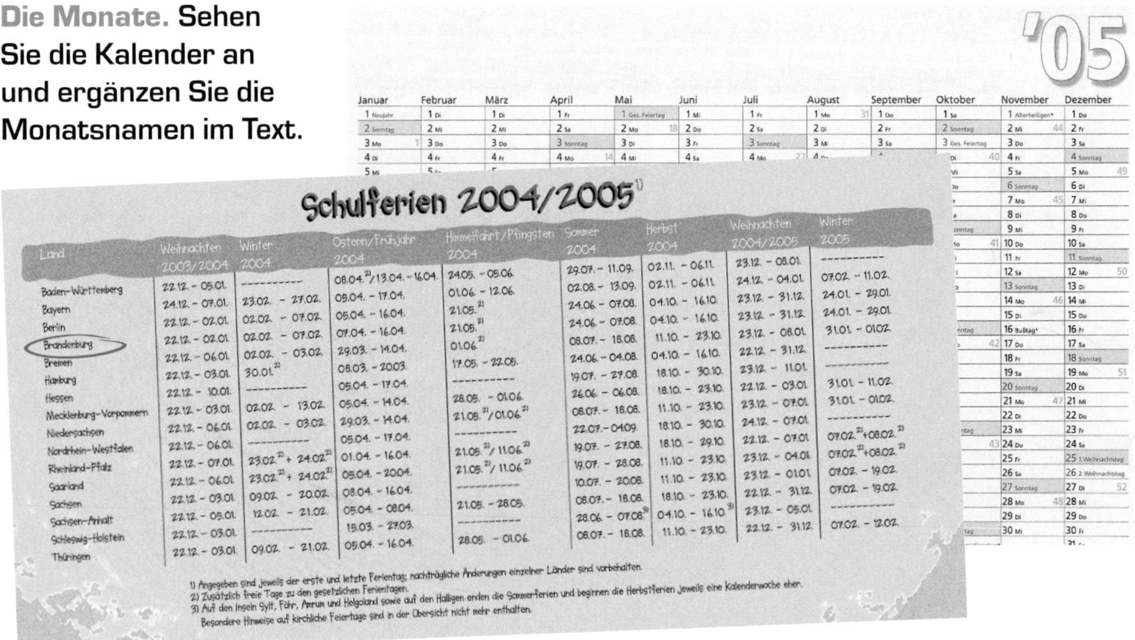

Schulferien 2004/2005[1]

Land	Weihnachten 2003/2004	Winter 2004	Ostern/Frühjahr 2004	Himmelfahrt/Pfingsten 2004	Sommer 2004	Herbst 2004	Weihnachten 2004/2005	Winter 2005
Baden-Württemberg	22.12. - 05.01.	----------	08.04.[2]/13.04. - 16.04.	24.05. - 05.06.	29.07. - 11.09.	02.11. - 06.11.	23.12. - 08.01.	----------
Bayern	24.12. - 07.01.	23.02. - 27.02.	05.04. - 17.04.	01.06. - 12.06.	02.08. - 13.09.	02.11. - 06.11.	24.12. - 04.01.	07.02. - 11.02.
Berlin	22.12. - 02.01.	02.02. - 07.02.	05.04. - 16.04.	21.05.[2]	24.06. - 07.08.	04.10. - 16.10.	23.12. - 31.12.	24.01. - 29.01.
Brandenburg	22.12. - 02.01.	02.02. - 07.02.	07.04. - 16.04.	21.05.[2]	24.06. - 07.08.	04.10. - 16.10.	23.12. - 31.12.	24.01. - 29.01.
Bremen	22.12. - 06.01.	02.02. - 03.02.	29.03. - 14.04.	01.06.[2]	08.07. - 18.08.	11.10. - 23.10.	23.12. - 08.01.	31.01. - 01.02.
Hamburg	22.12. - 03.01.	30.01.[2]	08.03. - 20.03.	17.05. - 22.05.	24.06. - 04.08.	04.10. - 16.10.	22.12. - 31.12.	----------
Hessen	22.12. - 10.01.	----------	05.04. - 17.04.	----------	19.07. - 27.08.	18.10. - 30.10.	23.12. - 11.01.	----------
Mecklenburg-Vorpommern	22.12. - 03.01.	02.02. - 13.02.	05.04. - 14.04.	28.05. - 01.06.	26.06. - 06.08.	18.10. - 23.10.	22.12. - 03.01.	31.01. - 11.02.
Niedersachsen	22.12. - 06.01.	02.02. - 03.02.	29.03. - 14.04.	21.05.[2]/01.06.[2]	08.07. - 18.08.	11.10. - 23.10.	23.12. - 07.01.	31.01. - 01.02.
Nordrhein-Westfalen	22.12. - 06.01.	----------	05.04. - 17.04.	----------	22.07. - 04.09.	18.10. - 30.10.	24.12. - 07.01.	----------
Rheinland-Pfalz	22.12. - 07.01.	23.02.[2] + 24.02.[2]	01.04. - 16.04.	21.05.[2]/ 11.06.[2]	19.07. - 27.08.	18.10. - 29.10.	22.12. - 07.01.	07.02.[2]+08.02.[2]
Saarland	22.12. - 06.01.	23.02.[2] + 24.02.[2]	05.04. - 20.04.	21.05.[2]/ 11.06.[2]	19.07. - 28.08.	11.10. - 23.10.	23.12. - 04.01.	07.02.[2]+08.02.[2]
Sachsen	22.12. - 03.01.	09.02. - 20.02.	08.04. - 16.04.	----------	10.07. - 20.08.	11.10. - 23.10.	23.12. - 01.01.	07.02. - 19.02.
Sachsen-Anhalt	22.12. - 05.01.	12.02. - 21.02.	05.04. - 08.04.	21.05. - 28.05.	08.07. - 18.08.	18.10. - 23.10.	22.12. - 31.12.	07.02. - 19.02.
Schleswig-Holstein	22.12. - 03.01.	----------	15.03. - 27.03.	----------	28.06. - 07.08.[3]	04.10. - 16.10.[3]	23.12. - 05.01.	----------
Thüringen	22.12. - 03.01.	09.02. - 21.02.	05.04. - 16.04.	28.05. - 01.06.	08.07. - 18.08.	11.10. - 23.10.	22.12. - 31.12.	07.02. - 12.02.

1) Angegeben sind jeweils der erste und letzte Ferientag; nachträgliche Änderungen einzelner Länder sind vorbehalten.
2) Zusätzlich freie Tage zu den gesetzlichen Ferientagen.
3) Auf den Inseln Sylt, Föhr, Amrum und Helgoland sowie auf den Halligen enden die Sommerferien und beginnen die Herbstferien jeweils eine Kalenderwoche eher.
Besondere Hinweise auf kirchliche Feiertage sind in der Übersicht nicht mehr enthalten.

Familie Mertens aus Brandenburg hat zwei Kinder. Sie muss bei ihrer Urlaubsplanung die Ferientermine beachten. Im Dezember haben die Kinder Weihnachtsferien und im Februar gibt es Winterferien. Die Osterferien sind im Frühling, im April. Die Sommerferien liegen in den Monaten Juni, Juli und August. Im Oktober gibt es nochmal zwei Wochen Herbstferien.

2 **Monatsnamen üben.** **Fragen und antworten Sie.**

Wann machen Sie Ferien? Wann hast du Geburtstag?
Wann ist der Deutschkurs zu Ende?
Was ist dein Lieblingsmonat?

3 **Hören Sie das Lied und lesen Sie den Text. Welche Wörter sind für Sie Urlaubswörter? Unterstreichen Sie.**

30

Ab in den Süden – ein Sommerhit

OHHH Willkommen, willkommen, Sonnenschein.
Wir packen unsre sieben Sachen in den Flieger rein.
Ja wir kommen, wir kommen, wir kommen, macht euch bereit,
reif für die Insel, Sommer, Sonne, Strand und Zärtlichkeit.

Raus aus dem Regen ins Leben,
ab in den Süden der Sonne entgegen, was erleben, ...

4 **Machen Sie ein Wörternetz zum Thema *Urlaub*.**

5 Urlaub mit dem Auto

1 **Lesen Sie den Text und die Statistik. Welche Aussagen sind richtig?**

Ü 10–11

1. Italien ist als Urlaubsland sehr beliebt. ✗
2. Österreich ist der Urlaubsfavorit. ☐
3. Viele deutsche Autourlauber fahren nach Ungarn. ☐
4. Frankreich hat den 4. Platz in den Top Ten. ☐
5. Die Toskana, Venetien und Südtirol sind Attraktionen in Italien. ☐
6. Auf Platz 1 bei den deutschen Autourlaubern liegt Deutschland. ☐
7. Kroatien liegt als Urlaubsziel auf Platz 2. ☐

Wohin fahren die deutschen Autourlauber?

Viele deutsche Urlauber fahren gern mit dem Auto in die Ferien. Italien und Österreich sind Topreiseziele. Mit rund einer Million Urlaubsreisen liegt Deutschland bei den Autourlaubern aber auf Platz 1. Besonders gern fahren die Deutschen an die Ostsee, die Mecklenburger Seenplatte, nach Oberbayern und in das Allgäu. In Italien sind die Toskana, Venetien und Südtirol *die* Attraktionen. Die Österreich-Touristen fahren in die Berge, aber auch die Seen in Kärnten sind sehr beliebt. Frankreich-Urlauber lieben nicht nur die gute Küche. Sie machen Urlaub in der Bretagne, an der Atlantik- und Mittelmeerküste oder in der Provence. Viele Autourlauber entscheiden sich auch für Kroatien und fahren z. B. nach Istrien.

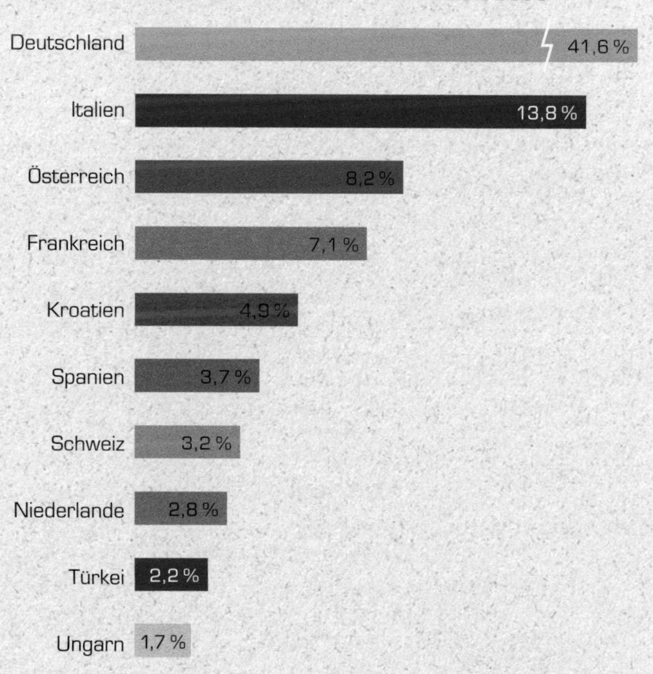

2 **Wohin fahren Sie am liebsten? Erzählen Sie im Kurs.**

Nach Österreich.

In die Schweiz.

1 Urlaub. **Ordnen Sie die Wörter den Fotos zu.**

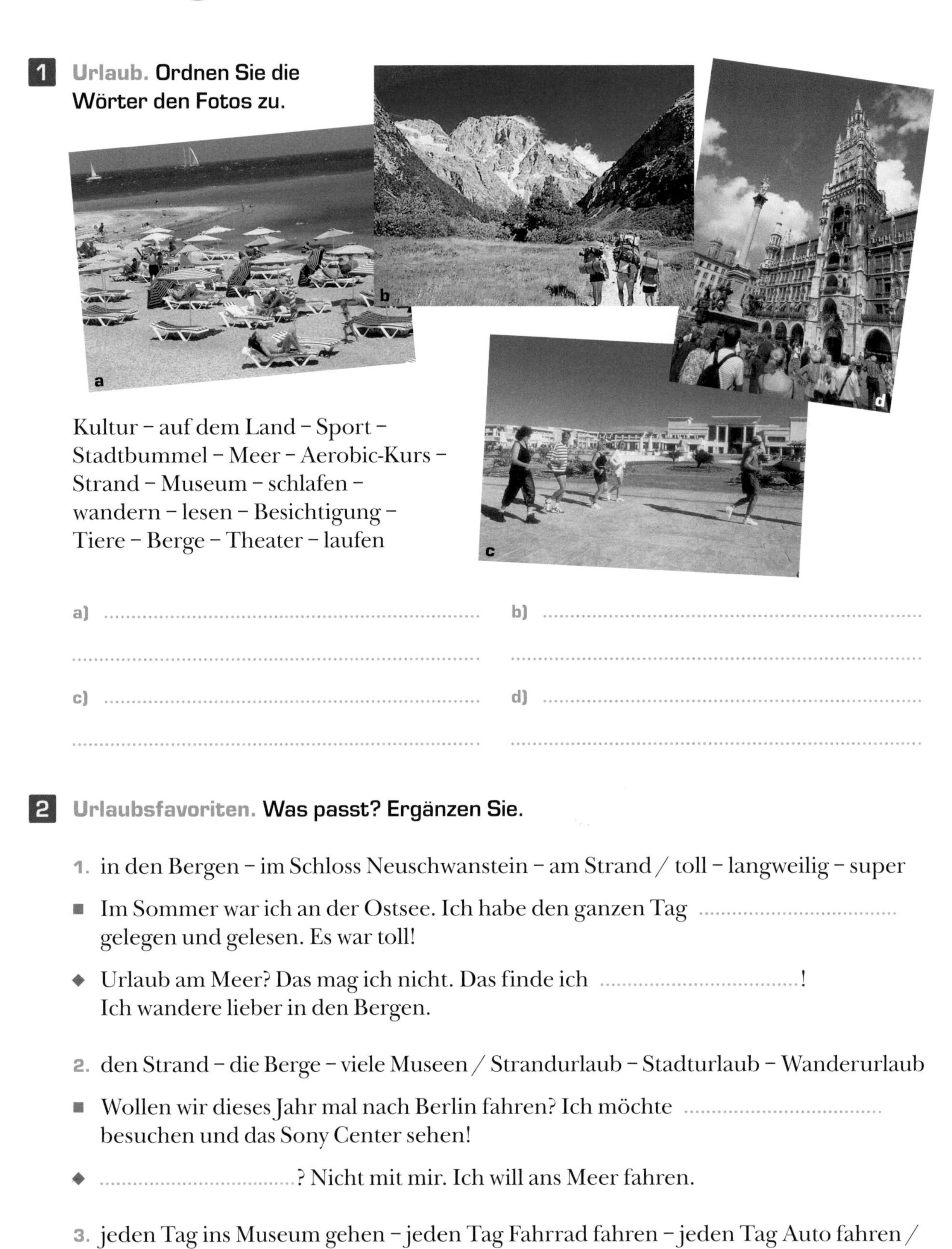

Kultur – auf dem Land – Sport – Stadtbummel – Meer – Aerobic-Kurs – Strand – Museum – schlafen – wandern – lesen – Besichtigung – Tiere – Berge – Theater – laufen

a) ....

....

b) ....

....

c) ....

....

d) ....

....

2 Urlaubsfavoriten. **Was passt? Ergänzen Sie.**

1. in den Bergen – im Schloss Neuschwanstein – am Strand / toll – langweilig – super

■ Im Sommer war ich an der Ostsee. Ich habe den ganzen Tag .... gelegen und gelesen. Es war toll!

◆ Urlaub am Meer? Das mag ich nicht. Das finde ich ....! Ich wandere lieber in den Bergen.

2. den Strand – die Berge – viele Museen / Strandurlaub – Stadturlaub – Wanderurlaub

■ Wollen wir dieses Jahr mal nach Berlin fahren? Ich möchte .... besuchen und das Sony Center sehen!

◆ ....? Nicht mit mir. Ich will ans Meer fahren.

3. jeden Tag ins Museum gehen – jeden Tag Fahrrad fahren – jeden Tag Auto fahren / Strand – Kultur – Sport

■ Im Sommer fahre ich mit meiner Familie nach Rügen. Wir wollen viel Sport machen und ....

◆ .... im Urlaub? Das ist nichts für mich. Ich bleibe im Urlaub lieber zu Hause und sehe fern.

3 Textkaraoke. **Hören Sie und sprechen Sie die 👄-Rolle im Dialog.**

31

👂 …
👄 Guten Tag, Herr Marquardt. Waren Sie im Urlaub?
👂 …
👄 Wo waren Sie denn?
👂 …
👄 Und wie war es?
👂 …
👄 Und wie war das Wetter?
👂 …

4 **Ergänzen Sie das Partizip II.**

1. Im Sommer haben wir eine Radtour .... (machen).
2. In Linz haben wir ein Museum .... (besuchen) und Linzer Torte .... (probieren).
3. Ich habe in Wien den Prater .... (fotografieren).
4. Morgens haben wir .... (einkaufen) und dann eine Pause .... (machen).
5. In Bratislava haben wir die Burg .... (besichtigen).
6. In Budapest haben wir unser Ziel .... (erreichen).

5 Wer sagt was? **Schreiben Sie die Aussagen in die Sprechblasen.**

1. Entschuldigung, ... Ihnen etwas .... ?
2. Ich .... vom Rad ....
3. Der Ball .... ins Rad ....
4. Ich .... Sie ....
5. Wie .... das genau .... ?

a) (passieren) ....
....

b) (fliegen) ....
....

c) (anrufen) ....
....

d) (passieren) ....
....

e) (fallen) ....
....

6 ***Haben* oder *sein*? Ordnen Sie die Verben und ergänzen Sie das Partizip II.**

~~fallen~~ – ~~spielen~~ – fliegen – aufstehen – anrufen – kommen – verlieren – schreiben – helfen – fahren

haben		sein	
spielen	hat gespielt	fallen	ist gefallen

7 **Ein Unfall. Hier sind die Antworten. Fragen Sie nach den unterstrichenen Teilen.**

1. ■ Was hat Anton gestern gemacht? ◆ Anton hat gestern eine Radtour gemacht.
2. ■ .... ◆ Er hat einen Unfall gesehen.
3. ■ .... ◆ Ja, die Polizei ist schnell gekommen.
4. ■ .... ◆ Die Polizisten haben ein Protokoll geschrieben.

8 **Grüße aus Rügen. Ergänzen Sie die Perfektformen.**

besichtigen – besuchen – fotografieren – baden – übernachten – machen – fahren

Liebe Maria,

wir machen seit zwei Wochen Urlaub auf der Insel Rügen. In der ersten Woche .... wir in Putbus in der Jugendherberge .... Wir .... einen Segelkurs .... und wir .... mit dem Fahrrad um die Insel .... Es war toll! Jetzt wohnen wir in Sassnitz. Gestern .... wir die Kreidefelsen .... und in der Ostsee .... Danach waren wir in Putbus und .... dort das Theater .... Ich .... schon viel ....

Zu Hause zeige ich dir die Bilder.

Viele Grüße

Lilian

9 Ferien auf „Balkonien" – für viele Deutsche ganz normal

Diese drei Menschen haben etwas gemeinsam: Sie waren im Urlaub auf „Balkonien". Das klingt wie Tunesien oder Australien oder Polynesien – warm, weit weg und exotisch. Es ist aber nicht weit, nicht exotisch und auch nicht teuer. Ferien auf „Balkonien" heißt Ferien zu Hause – ganz normal für sechs von zehn Menschen in Deutschland. Erkan Zaimoglu, Cora Clausen und Claudine Fischer waren in den Ferien zu Hause und berichten.

Erkan Zaimoglu, 32, aus München hat im Mai den Arbeitsplatz gewechselt. Er hat im Juli nur ein paar Tage Urlaub bekommen. Er hat bis Mai für ein Designbüro gearbeitet und verkauft jetzt Softwarelösungen für Arztpraxen. Im Juli hat er schon 25 Kunden in Süddeutschland besucht und beraten. Er hat fünf Systeme verkauft. Sein Chef findet das toll. Erkan sagt: „Mein Urlaub? Ich hatte nur drei Tage frei und habe in der Sonne auf dem Balkon gesessen und viel gelesen. Das war okay."

a

Cora Clausen, 72, aus Schwäbisch Hall arbeitet nicht mehr. Letztes Jahr sind sie und ihr Mann im Urlaub auf Mallorca gewesen. Sie sind viel gewandert und haben oft in Restaurants gegessen. Cora hat Postkarten an alle Freundinnen geschrieben. Aber es war sehr heiß und laut. Das hat sie nicht gut gefunden. Sie und ihr Mann sind dieses Jahr zu Hause geblieben. Sie haben im Garten gearbeitet und oft in der Sonne gelegen. „Das war billig und hat Spaß gemacht. Wir sind spät aufgestanden und haben uns gut erholt."

b

Claudine Fischer, 27, aus Halle ist im Moment arbeitslos. Sie hat eine Tochter, Nadja (4). Sie bekommt 440 Euro Arbeitslosengeld. Urlaub? „Nur auf Balkonien", sagt sie. Im Sommer hat sie Nadja oft früher aus dem Kindergarten abgeholt. Sie sind dann mit der Bahn nach Röblingen gefahren. Dort gibt es einen See. Sie sind geschwommen und hatten viel Spaß. Einmal haben sie im Zelt am See übernachtet.

c

a) Wer ist das? Ordnen Sie zu.

1. ▒ sucht einen Job.
2. ▒ hat im Moment nicht viel Geld.
3. ▒ hat nicht viel Zeit.
4. ▒ ist lieber zu Hause als im Ausland.
5. ▒ muss beruflich viel reisen.
6. ▒ hat einen Garten.

b) Ergänzen Sie die Gründe für die Ferien auf „Balkonien".

1. Erkan hat ....
2. Cora: „Mallorca ....
3. Claudine ....

c) Markieren Sie die Partizip-II-Formen in den Texten. Schreiben Sie die Formen in eine Tabelle.

ge...(e)t	...ge....t	... (e)t	ge...en	...ge...en	..en
....	....	....	gesessen	....	....

10 Urlaub mit dem Auto. **Sehen Sie die Bilder an und schreiben Sie einen Text. Die Wörter unten helfen.**

im Stau stehen – falsch fahren – Autobahn – Picknick machen – langweilig – im Hotel ankommen – im Restaurant fantastisch essen – im Auto schlafen – müde sein.

11 Urlaubszeit! **Welche Wörter passen nicht?**

1. Ostsee – Atlantik – Nordsee – ~~Schwimmbad~~
2. Autobahn – Auto – Küche – Stau
3. Ski fahren – Strand – schwimmen – Meer
4. Urlaub – Freizeit – Spiele – Arbeit
5. Flugzeug – Auto – Flugticket – Flugzeit

Das kann ich auf Deutsch

sagen, wo ich im Urlaub war

Ich war an der Nordsee / in den Bergen / in Heidelberg / auf der Insel Sylt.

sagen, wie es im Urlaub war

Es war prima! Das Wetter war schön!
Es war langweilig. Es hat oft geregnet.

sagen, was ich im Urlaub gemacht habe

Wir haben eine Radtour gemacht. Wir haben gezeltet.

Wortfelder

Ferien/Urlaub

die Berge, das Meer, wandern, baden, ein Schloss besichtigen ...

Unfall

■ Was ist passiert?

◆ Ich bin gefallen.

helfen, die Polizei anrufen, ein Protokoll schreiben

Grammatik

Perfekt mit *haben*

Wir **haben** an der Donau **gezeltet**.
Sie **haben** im Hotel **übernachtet**.
Ich **habe** Linzer Torte **probiert**.

Perfekt mit *sein*

Ich **bin** mit dem Rad **gefahren**.
Ich **bin** jeden Tag früh **aufgestanden**.
Es **ist** ein Unfall **passiert**.

unregelmäßige Verben

Anja hat eine Postkarte geschr**ieben**.
Sie ist vom Rad gefall**en**.
Wir haben nicht viel Zeit verl**oren**.

Aussprache

lange und kurze Vokale

tọll, su̲per, schlẹcht, gu̲t, schö̲n, pri̲ma

32

Laut lesen und lernen

Der Urlaub war super!
Es war so langweilig!
Das Wetter war prima!

10 Essen und trinken

1 Lebensmittel auf dem Markt und im Supermarkt

1 **Auf dem Markt.** Welche Lebensmittel kennen Sie?

2 **Auf dem Markt oder im Supermarkt?**
Welche Lebensmittel kaufen Sie wo?

auf dem Markt	im Supermarkt
Äpfel	Fleisch

Auf dem Markt kaufe ich Äpfel und Orangen.

Fleisch kaufe ich im Supermarkt.

Hier lernen Sie

- einkaufen: fragen und sagen, was man möchte
- nach dem Preis fragen und antworten
- sagen, was man (nicht) gern mag/isst/trinkt
- ein Rezept verstehen und erklären
- Wie oft? – *jeden Tag – manchmal – nie*
- Fragewort *welch-*
- Komparation: *viel – gut – gern*
- Endungen: *-e, -en, -el, -er*

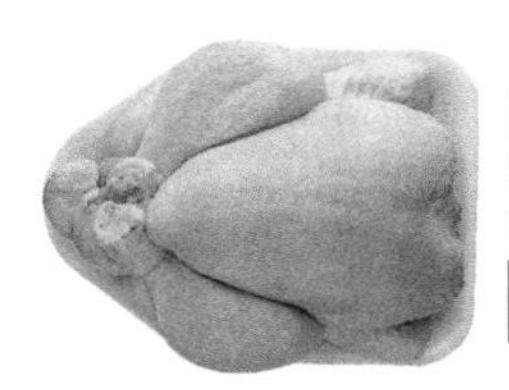

Hähnchen
Hkl. A, frisch
1 kg
€ 2,99

Ketchup
750-ml-Flasche
€ 2,19

Schokolade
100-g-Tafel
Milch-Schokolade
Milch-Nuss
€ 0,39

Deutsche Markenbutter
250-g-Stück
€ 0,99

Original Thüringer Leberwurst
im Ring
€ 3,99

Bauernweißbrot
geschnitten,
500-g-Packung
€ 1,15

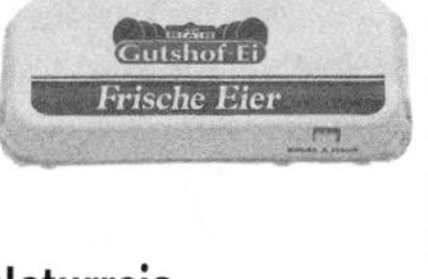

Eier
HKL. A
Gewichtsklasse M
10er Packung
€ 0,79

frische Vollmilch
3,5 % Fett, 1-l-Packung
€ 0,89

Paprika Mix »Tricolor«
Spanien, Hkl 1
(1 kg = 1,98)
500-g-Packung
€ 0,99

Naturreis
500-g-Packung
€ 1,29

Mildessa Weinsauerkraut
580-ml-Dose
€ 0,99

Chipsfrisch ungarisch
175-g-Beutel
€ 1,79

Spaghetti
500-g-Packung
€ 0,95

3 **Wortschatz trainieren.**
Ü1–2 **Was kaufen Sie jeden Tag? Welche Lebensmittel kaufen Sie manchmal? Machen Sie eine Tabelle und sprechen Sie im Kurs.**

Ich kaufe jeden Tag Milch. Manchmal kaufe ich Fleisch. Fisch kaufe ich nie.

jeden Tag	manchmal	nie
Milch	*Fleisch*	*Fisch*

4 **Fünf wichtige Lebensmittel in Ihrem Land.** **Machen Sie eine Liste. Arbeiten Sie mit dem Wörterbuch. Wie heißen die Lebensmittel auf Deutsch?**

5 **Einkaufen in Deutschland, Österreich und der Schweiz – einkaufen in Ihren Ländern.** **Was kaufen Sie ein? Was gibt es nicht?**

Bei uns zu Hause kaufe ich Weißbrot.

Sauerkraut kenne ich nicht. Was ist das?

Gibt es in Deutschland auch ...?

In Deutschland gibt es keine ...

2 Einkaufen

 33

1 Was haben die Leute gekauft? Hören Sie und kreuzen Sie an.

- Erdbeeren
- Kartoffeln
- Äpfel
- Sauerkraut
- Eier
- Brötchen
- Bananen

2 Wochenendeinkauf. Welche Lebensmittel brauchen Sie? Schreiben Sie einen Einkaufszettel.

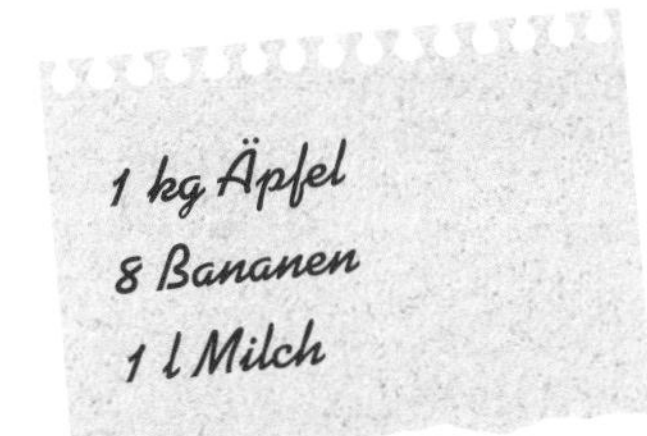

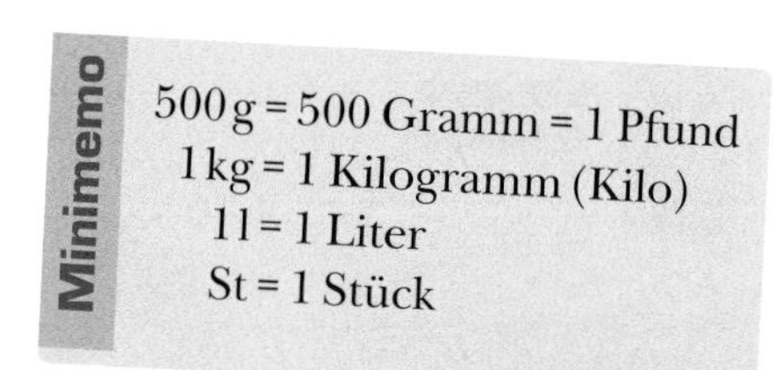

Minimemo
500 g = 500 Gramm = 1 Pfund
1 kg = 1 Kilogramm (Kilo)
1 l = 1 Liter
St = 1 Stück

Lerntipp

Wartezeit = Lernzeit
Sie warten an der Kasse im Supermarkt und nennen alle Sachen in Ihrem Einkaufswagen auf Deutsch. Sehen Sie auch in die anderen Wagen.

3 Einkaufsdialoge. Fragen und sagen, was man möchte. Üben Sie. Ü3

Was darf es sein? Sie wünschen? Bitte schön?	Ich hätte gern Geben Sie mir bitte Ich möchte Ich nehme	2 Kilo Kartoffeln / 5 Äpfel / einen Liter Milch/ 200 g Käse / 4 Brötchen / eine Flasche Ketchup.

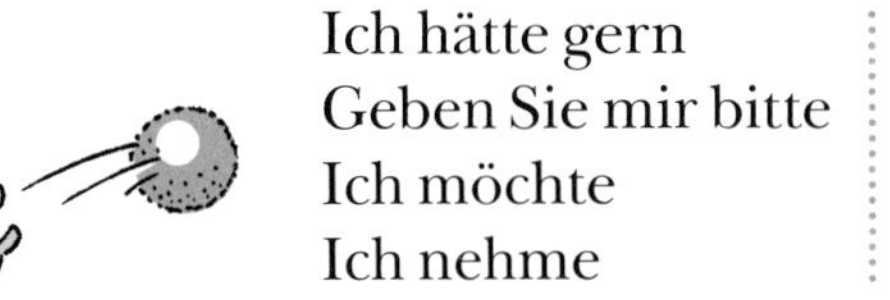

 34

4 Aussprache *-e* und *-en* oder *-el* am Wortende. Hören Sie und sprechen Sie nach.

bitte, bitte schön, ich hätte gern, ich hätte lieber, ich möchte, ich nehme, der Käse, eine Flasche, welche Flasche?

Regel *-e* am Wortende spricht man sehr schwach.

wünschen, Sie wünschen?, welchen Käse wünschen Sie?, geben, geben Sie mir bitte, der Apfel, die Äpfel, ein Brötchen, die Tomaten, kosten, was kosten die Lebensmittel?

Regel *-en* und *-el* am Wortende spricht man fast ohne *e*.

5 **Preise.** **Sehen Sie nochmal auf die Seiten 58 und 59. Fragen und antworten Sie und kommentieren Sie die Preise.**

■ Was kostet das Hähnchen?
◆ Das Kilo kostet 2 Euro 99.
■ Was kosten ...?

■ Wie viel kosten die Tomaten?
◆ 3 Euro das Kilo.

Der Käse ist billig!

Die Bananen 3,49 – das ist aber teuer!

6 **Wortschatz systematisch**

a) **Wörternetz.** **Sammeln Sie Wörter zum Thema *Lebensmittel*.**

! **Lerntipp**
Machen Sie Wörternetze!

b) **Wortfelder.** **Sammeln Sie Wörter und Redemittel in Wortfeldern.**

essen und trinken	Obst und Gemüse	fragen und sagen, was man möchte
...	...	...
...	...	...

! **Lerntipp**
Lernen Sie Wörter in Wortfeldern!

35

c) **Wörter zusammen mit ihrer Aussprache trainieren.** **Hören Sie und sprechen Sie nach.**

Achten Sie auf das lange *e:* Welchen Tee trinken Sie gern?

7 **Einkaufen spielen.** **Arbeiten Sie mit einem Lernpartner / einer Lernpartnerin.**
Ü4

Redemittel

fragen, was jemand möchte	**sagen, was man möchte**
Bitte schön? / Sie wünschen bitte? Was darf es sein? / Noch etwas?	Ein Kilo / einen Liter ..., bitte. Ich hätte gern ... / Ich möchte ... / Ich nehme ... Haben Sie ...? Gibt es (heute) ...?
Darf es sonst noch etwas sein?	Danke, das ist alles.
nach dem Preis fragen	**Preise nennen**
Was kostet ... / Wie viel kosten ...? Was macht das?	100 g kosten 2,99. / 98 Cent das Kilo. Das macht zusammen 23 Euro 76. / 3,80 bitte.

3 „*Spinat? Igitt!*" – über Essen sprechen

1 Was essen Jugendliche heute gern? **Der Artikel aus einer Schülerzeitung informiert über das Lieblingsessen von Schülerinnen und Schülern in Berlin.**

a) Markieren Sie alle Lebensmittel.

Currywurst ist bei Berliner Schülern nicht mehr „in" – Lieblingsessen: Pizza und Döner

Jugendliche essen gern Fastfood. Dies hat viele Gründe. In unserer Schule haben wir 100 Schülerinnen und Schüler im Alter von 13 bis 16 Jahren befragt. Unsere Frage: Was ist dein Lieblingsessen?

Das Ergebnis: Pizza, Döner, Hamburger und Pommes sind sehr beliebt bei Jugendlichen. 29 Prozent erklären die Pizza zu ihrem Lieblingsessen, auf dem zweiten Platz landet der Döner mit 27 Prozent, danach folgt der Hamburger mit elf Prozent. Pommes mögen nur zehn Prozent am liebsten, die Currywurst sogar nur fünf Prozent! Wie man sieht, ist die Currywurst unter Schülern nicht mehr so beliebt wie früher. Gemüse mögen nur zwei Prozent lieber als Fastfood. Fastfood ist beliebt. Es ist billig und schmeckt gut. Es ist eben „in".

b) Welche Antworten geben die Jugendlichen? Machen Sie eine Hitliste. Was ist „in"?

Platz	Essen	Prozent
1	Pizza	....
2	....	....

2 Textzusammenfassung. **Ergänzen Sie die Lebensmittel.**

Berliner Schülerinnen und Schüler essen gern .... Sie mögen .... lieber als Hamburger und Pommes .... lieber als .... Am liebsten essen sie ....

Minimemo
Ich mag Pommes so gern wie Pizza.
Ich mag Döner lieber als Hamburger.

3 Was essen Jugendliche in Ihrem Land gern? Vergleichen Sie.

Ich glaube, Jugendliche essen bei uns auch gern Pizza.

Meine Kinder essen am liebsten Spaghetti mit Tomatensoße!

4 Welches Ei ist frisch? Lesen Sie den Haushaltstipp. Was passiert? Wie alt sind die Eier? Ordnen Sie zu.

a

b

c

1. ▢ Das Ei ist frisch.
2. ▢ Das Ei ist mehr als zwei Wochen alt.
3. ▢ Das Ei ist mehr als drei Wochen alt.

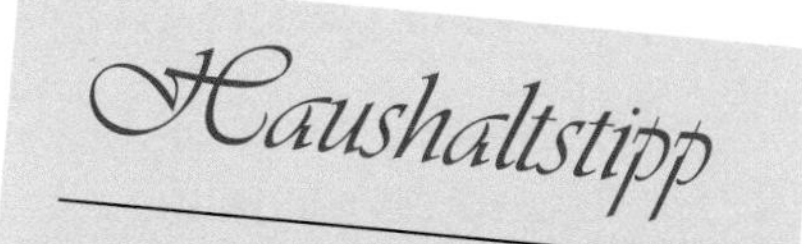

Eier-Test

Im Ei ist Luft. Ist das Ei frisch, ist wenig Luft im Ei. In einem alten Ei ist mehr Luft. Geben Sie das Ei in ein Glas mit Wasser.

5 Fragewort *welch-*. Sehen Sie sich die Einheit 10 genau an und sammeln Sie Beispiele. Ergänzen Sie die Tabelle.

Grammatik

	der Käse	das Ei	die Wurst
Nominativ	welcher Käse	welches Ei	.... Wurst
Akkusativ	.... Käse	welches Ei	welche Wurst
Plural	Welche Äpfel/Eier/Bananen kaufst du?		

Ich kaufe nur Bioeier.

6 Komparation: *viel – gut – gern*

Ü 5–6

a) Viel. Ordnen Sie die Bilder zu.

1. viel ▢
2. mehr ▢
3. am meisten ▢

b) Gut und gern. Diskutieren Sie im Kurs.

Ich finde, Fisch mit Reis schmeckt gut.
Ich esse gern Fisch mit Reis.

Ich finde, Currywurst mit Pommes schmeckt besser als Fisch.
Ich esse lieber Currywurst mit Pommes als Fisch.

Ich finde, Schokoladentorte schmeckt am besten, oder?
Ich esse am liebsten Schokoladentorte.

7 Ausssprache *-er* am Wortende. Hören Sie und sprechen Sie nach.

36

lieb<u>er</u> – Hamburg<u>er</u> – Dön<u>er</u> – Ei<u>er</u> – welch<u>er</u> / Hamburg<u>er</u> esse ich lieb<u>er</u> als Dön<u>er</u>.

Regel Am Wortende spricht man *-er* wie ein schwaches *a*.

4 Was ich gern mag

1 Ein Menü. **Was passt zusammen?**
Ü 7

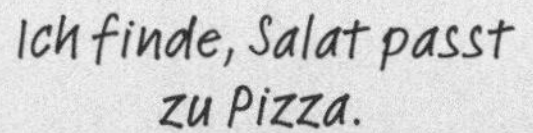

Ich finde, Salat passt zu Pizza.

Fleisch	Kartoffeln	Salat	Käse	Wein
Fisch	Reis	Sauerkraut	Schinken	Bier
Pizza	Nudeln	Tomaten	Ketchup	Wasser
Brot	Pommes	Paprika	Schokolade	Orangensaft

2 **Magst du …? Üben Sie.**

■ Magst du Nudeln?
◆ Ja, am liebsten mit Ketchup.

■ Magst du …?
◆ Ja, am liebsten mit … / Nein, mag ich nicht.

3 Smalltalk. In Deutschland sprechen viele Leute gern über das Thema *Essen.*
Ü 8–9
Fragen Sie, was Ihr Partner / Ihre Partnerin gern isst. Machen Sie Notizen und berichten Sie.

Björn isst gern Döner. Er mag keine Kartoffeln.
Natalia isst lieber Salat als Fleisch. Am liebsten isst sie Tomaten.

Redemittel

fragen, was jemand gern isst/trinkt

Magst du … / Mögen Sie …	Spaghetti?
Isst du gern … / Essen Sie gern …	Salat?
Trinkst du gern … / Trinken Sie gern …	Milch? Bier?
Was magst du / mögen Sie lieber?	Äpfel oder Bananen?
Was ist dein / Ihr Lieblingsessen?	Gemüse oder Fleisch?

sagen, was man (nicht) gern mag/isst/trinkt

Bratwurst
Tomatensaft
Pommes frites

… mag/esse/trinke ich gern / ist mein Lieblingsessen.
… schmeckt/schmecken super.
… mag ich gar nicht / schmeckt/schmecken mir nicht.
… kenne ich nicht. Was ist das?

Ist das Schweinefleisch? / Ananas aus der Dose – ist da Zucker drin?
Apfelkuchen, lecker! Sind da Rosinen drin?
Ist das vegetarisch? Ich esse kein Fleisch.

5 Ein Rezept

1 **Lesen Sie das Rezept und bringen Sie die Fotos in die richtige Reihenfolge.**

Ü 10–11

Nudelauflauf

Zutaten (für 4 Personen)

250 g Nudeln
150 g Schinken
1–2 Zwiebeln
300 g Tomaten
150 g Bergkäse
1 Becher süße Sahne
Pfeffer, Salz

Zubereitung

Nudeln kochen, Schinken in Streifen schneiden, Zwiebel und Tomaten in Würfel schneiden, Zwiebeln in einer Pfanne anbraten. Drei Viertel (3/4) der Nudeln in eine Form geben, dann Schinken, Zwiebeln und Tomaten dazu geben. Mit etwas Käse bestreuen. Den Rest Nudeln darauf geben. Sahne, Salz und Pfeffer und den Käse verrühren und auf den Auflauf geben. Im Backofen bei 200 Grad ca. 30 Minuten backen.
Guten Appetit!

backen

anbraten

verrühren

schneiden

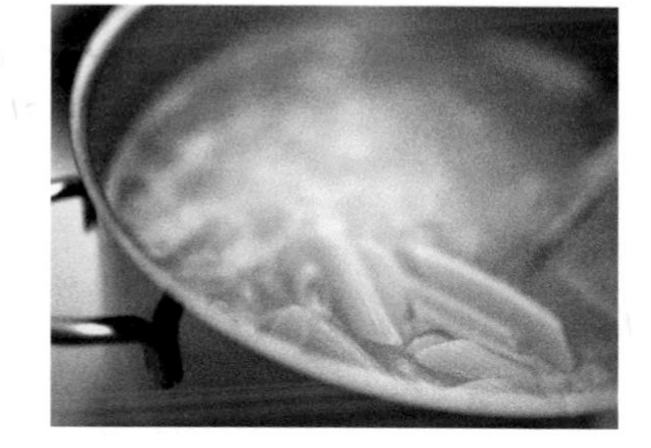

kochen

Landeskunde

Essenszeiten in Deutschland

In Deutschland gibt es drei Hauptmahlzeiten: *das Frühstück* zwischen 6 und 10 Uhr, *das Mittagessen* zwischen 12 und 14 Uhr und *das Abendessen* zwischen 18 und 20 Uhr. Zum Frühstück gibt es Kaffee oder Tee, Brot oder Brötchen, Butter, Marmelade, Käse und Wurst. Wer früh aufsteht und zur Arbeit geht, macht oft ein zweites Frühstück am Arbeitsplatz. Mittags isst man gern warm, zum Beispiel Fleisch mit Kartoffeln und Gemüse. Abends essen viele lieber kalt. Dann gibt es Brot, Butter, Käse oder Wurst und Tee, Saft oder ein Bier. In vielen Familien gibt es am Sonntag zwischen 15 und 17 Uhr Kaffee oder Tee und Kuchen. Zum Essen in einem Restaurant oder bei Freunden zu Hause trifft man sich meistens zwischen 19 und 20 Uhr.

1 Lebensmittel im Supermarkt

Machen Sie eine Tabelle und ordnen Sie zu.

Milchprodukte	Obst und Gemüse	Fleisch und Wurst
....	der Salat	....
....	....	....
....	....	....

2 a) Welches Wort passt nicht?

1. .... Banane – .... Kirsche – .... ~~Kartoffel~~ – .... Orange
2. .... Hähnchen – .... Wurst – .... Butter – .... Fisch
3. .... Reis – .... Kartoffel – .... Spaghetti – .... Schokolade
4. .... Ei – .... Käse – .... Butter – .... Milch
5. .... Schokolade – .... Eis – .... Chips – .... Torte

b) Ergänzen Sie die Artikel.

3 **Einkaufen. Herr Bauer kauft Bananen, Brot, Butter, Wasser, Chips und Schokolade.**
In der Zeichnung sind vier Fehler. Finden Sie die Fehler und schreiben Sie einen Dialog.

■ *Guten Tag, was darf es sein?* ....

◆ *Ich hätte gern* ....

■ ....

◆ ....

■ ....

◆ ....

■ ....

◆ ....

■ ....

◆ ....

 **4** **Textkaraoke.** **Hören Sie und sprechen Sie die -Rolle im Dialog.**

37

👂 ...
👄 Ich hätte gern 200 g Schinken, bitte.
👂 ...
👄 100 g Leberwurst, bitte.
👂 ...
👄 Nein, bitte nicht mehr.
👂 ...
👄 Was kostet das Hähnchen?
👂 ...
👄 Gut, dann nehme ich ein Hähnchen.
👂 ...
👄 Danke, das ist alles. Auf Wiedersehen.
👂 ...

5 **Landeskunde: Essen in Deutschland, Österreich und in der Schweiz.**
Ergänzen Sie *viel, mehr* oder *mehr … als.*

1. Döner ist „in". In Berlin gibt es .... Döner-Lokale .... in Istanbul.
2. In Deutschland und Österreich essen die Menschen .... Wurst, in der Schweiz isst man .... Käse.
3. Die Menschen essen in Deutschland, Österreich und in der Schweiz .... Kartoffeln .... in Südeuropa.
4. In Österreich gibt es .... Dessertvariationen .... in Deutschland.
5. In Deutschland, Österreich und in der Schweiz kocht man .... zu Hause.

6 **Nachdenken über Essen. Was meinen Sie? Notieren Sie acht Aussagen und vergleichen Sie im Kurs.**

Ich esse/trinke Die Deutschen/Schweizer / Österreicher essen/trinken In meinem Land essen/ trinken die Menschen	viel / mehr ... als gern / lieber ... als / am liebsten / kein(en)	Fisch/Schweinefleisch. Currywurst mit Pommes. Kartoffeln/Reis/Nudeln. Schokoladentorte. Bier/Wein/Wasser.

7 **Beruf Kellner. Lesen Sie den Text und beantworten Sie die Fragen.**

Andreas Stein ist Kellner und arbeitet im Restaurant „Am Schlosspark" in Nürnberg. Er arbeitet von Dienstag bis Sonntag von 17 bis 24 Uhr. Am Montag hat er frei. Herr Stein bringt den Gästen zuerst die Speisekarte. Oft haben die Gäste Fragen zum Essen und er berät sie. Er erklärt die Zutaten oder empfiehlt einen Wein. Dann schreibt er die Bestellungen auf. Am liebsten bestellen die Gäste „Fisch im Gemüsebett", das ist eine Spezialität im Restaurant „Am Schlosspark". Herr Stein bringt das Essen und die Getränke und am Ende die Rechnung. In die Küche geht Herr Stein nicht gern, da findet er es zu chaotisch. Im Restaurant ist es ruhig. Die Gäste trinken gern nach dem Essen noch einen Kaffee. Gestern sind sie bis ein Uhr geblieben. Die Kellner müssen dann auch so lange bleiben. Aber Herr Stein mag seine Arbeit und er isst gern! Am liebsten mag er die asiatische Küche.

1. Wie ist die Arbeitszeit von Andreas Stein? ....
2. Was muss ein Kellner tun? ....
3. Welches Lieblingsessen haben die Gäste? ....
4. Was machen die Gäste oft nach dem Essen? ....
5. Wie lange hat Herr Stein gestern gearbeitet? ....
6. Was isst er am liebsten? ....

8 Fragewort *welch-*. **Ergänzen Sie die Fragen.**

1. ■ .... Käse möchten Sie?
   ◆ Den Bergkäse, bitte.
2. ■ .... Lebensmittel kaufen Sie oft ein?
   ◆ Brot, Milch und Käse.
3. ■ .... Fleisch ist heute billig?
   ◆ Schweinefleisch.
4. ■ .... Wurst magst du am liebsten?
   ◆ Leberwurst.
5. ■ .... Tee schmeckt dir besser: Vanilletee oder Früchtetee?
   ◆ Früchtetee.

9 38 Über Essen sprechen. **Bringen Sie die Sätze in die richtige Reihenfolge und kontrollieren Sie mit der CD.**

■ Das stimmt. Magst du kein Fleisch?
■ ~~Mmh, das sieht ja lecker aus!~~
■ Mein Lieblingsessen ist Hähnchen mit Pommes. Und dazu eine Cola! Und dein Lieblingsessen?
■ Hm. Ich glaube, wir passen nicht zusammen!
◆ Fisch und dazu ein großer Salat. Cola mag ich nicht. Ich trinke lieber Wasser.
◆ Ja, sehr lecker. Aber es gibt so viel Fleisch ...
◆ Nein, ich esse lieber Fisch als Fleisch. Was isst du am liebsten?

■ *Mmh, das sieht ja lecker aus!* ....
◆ ....
■ ....
◆ ....
....
■ ....
....
◆ ....
....
■ ....

10 In der Küche. **Ordnen Sie die Wörter den Bildern zu. Manche Wörter passen mehr als einmal.**

Wasser – Fleisch – Nudeln – Zwiebel –Fisch – Ei – Kuchen – Kartoffeln – Auflauf – Brot – Reis

kochen	braten	backen
....	....	....
....	....	....
....	....	....
....	....	....
....	....	....

39

11 Wer isst was? **Hören Sie den Text und ergänzen Sie.**

	Frühstück	Mittagessen	Abendessen in der Familie	Familien-frühstück am Wochenende
Bernd	....	....	....	....
	....	....	....	....
	....	....	....	....
	....	....	....	....
Fernanda und Lisa	....	....	....	....
	....	....	....	....
	....	....	....	....

Das kann ich auf Deutsch

über Essen sprechen	Ich esse gern Äpfel. Ich esse lieber Obst als Gemüse. Welchen Kuchen magst du am liebsten?	
einkaufen	■ Was darf es sein? ■ Noch etwas?	◆ Ich hätte gern ein Kilo Kartoffeln. ◆ Vier Orangen, bitte.
nach dem Preis fragen und antworten	■ Was kosten die Bananen?	◆ 1,99 das Kilo. Das ist günstig.

Wortfelder

Lebensmittel	Obst, Gemüse, Fleisch, Käse, Fisch, Brot, Milch ...	
das Verb *mögen*	Katja mag Bananen. ■ Magst du Cola?	 ◆ Nein, lieber Wasser.

jeden Tag – manchmal – nie

Viele Leute essen **jeden** Tag Kartoffeln. **Manchmal** kaufe ich Obst und Gemüse auf dem Markt. Ich habe noch **nie** Fleisch gegessen.

Grammatik

Komparation: ***gern – viel – gut***	 Nudeln esse ich **gern**. Ich esse **lieber** Pommes **als** Nudeln. Kartoffelchips esse ich **am liebsten**. Kartoffeln schmecken **gut**, aber Pommes schmecken **besser**. **Am besten** schmecken Pommes mit Ketchup. Justyna isst heute **viel**. Sie isst **mehr als** Matthias. Aber Katja isst **am meisten**.

Fragewort *welch-*

Nominativ	*Akkusativ*
■ Welch**er** Käse ist aus der Schweiz?	■ Welch**en** Tee magst du am liebsten?
◆ Der Bergkäse.	◆ Vanilletee.

Aussprache

Endungen *-e* und *-en* oder *-el* und *-er*	Ich nehme den Käse. Was kosten die Äpfel? Hamburger esse ich lieber als Döner.

Laut lesen und lernen

40

■ Essen Sie gern Fleisch?
Ist da Schweinefleisch drin?
Fisch schmeckt mir nicht.

◆ Nein, ich bin Vegetarier.

11 Kleidung und Wetter

1 Aus der Modezeitung

1 Mode für Männer und Frauen

a) Lesen Sie. Welche Wörter zum Thema *Kleidung* kennen Sie schon?

„Du siehst gut aus! Das steht dir prima!" – Wer freut sich nicht über so ein Kompliment? Frauen und auch Männer ziehen sich gern modisch an. Die Kleidung muss modern, gut kombinierbar und preiswert sein. Beliebt sind Hosen, besonders Jeans. Alexander trägt dazu einen blauen Rollkragenpullover und eine braune Jacke, Jette hat ein weißes T-Shirt an. Im Sommer tragen Frauen gern einen leichten Rock, ein T-Shirt oder ein Top, so wie Jana. Der Mann von Jana, Rolf, trägt eine helle Sommerhose und ein rotes T-Shirt – die ideale Urlaubskleidung. Claudia trägt zur Hose braune Stiefel, eine weiße Bluse und eine dunkle Jacke. Jöran zeigt elegante Männermode. Er trägt einen schwarzen Anzug, ein weißes Hemd und eine rote Krawatte. Dazu trägt er einen langen Mantel und natürlich schwarze Schuhe.

das Top ....

....

braun

....

....

b) Lesen Sie noch einmal. Wer ist ...?

Jana und Rolf sind auf Bild a.

c) Wie heißen die Kleidungsstücke? Ergänzen Sie.

Hier lernen Sie

- über Kleidung sprechen / Kleidung kaufen
- Farben und Größen angeben
- Adjektive im Akkusativ – unbestimmter Artikel
- Wetterinformationen verstehen / über Wetter sprechen
- Demonstrativa: *dieser – dieses – diese / der – das – die*
- Wetterwort *es*
- Vokale und Umlaute: *ie – u – ü* und *e – o – ö*

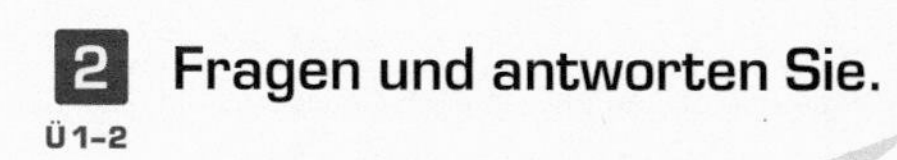

rot

blau

weiß

schwarz

2 **Fragen und antworten Sie.**
Ü 1–2

Was hat Alexander an?

Eine Jeans, einen blauen Rollkragenpullover und eine braune Jacke.

Was trägt Jana?

Einen leichten Rock.

2 Kleidung und Farben

1 **Ein Spiel. Kleidung und Farben im Kurs.**
Nennen Sie eine Farbe und ein passendes Kleidungsstück.

Rot!
Das T-Shirt von Marina.
Schwarz!
Die Hose von Jannek!

rot
blau
gelb
grün
braun
orange
türkis
violett
grau
rosa
schwarz
weiß
bunt
hellgrün
dunkelblau

2 **Über Farben sprechen.** **Fragen Sie im Kurs.**
Ü 3

Trägst du / Tragen Sie gern Blau?
Ja, Blau mag ich.
Nein, lieber Rot.

3 **Fragen und antworten Sie.**

die Anzüge – die Pullover – die Hosen – die Hemden – die Blusen – die Röcke – die Kleider – die Jacken – die Mäntel

- ■ Ziehst du / Ziehen Sie gern Hemden an?
- ◆ Nein, lieber T-Shirts.
- ● Ja, Hemden zieh' ich gern an. / Hemden? Ja, die zieh' ich gern an.

4 **Umlaut oder nicht?** **Hören Sie und sprechen Sie nach.**
41

der Anzug – die Anzüge; der Mantel – die Mäntel; der Rock – die Röcke

5 **Über Kleidung sprechen.** **Sagen, was gefällt / nicht gefällt.**
Ü 4
Spielen Sie im Kurs.

Redemittel

so kann man fragen	so kann man antworten
Wie gefällt Ihnen/dir das T-Shirt?	Das gefällt mir gut / sehr gut. Das gefällt mir nicht / gar nicht / überhaupt nicht.
Wie finden Sie / findest du den Mantel?	Den finde ich schön/schick/altmodisch/hässlich.
Tragen Sie / trägst du gern Pullover?	Ja, ich trag' gern Pullover. Nein, ich trag' lieber Hemden.
Was ziehen Sie / ziehst du gern an?	Ich zieh' gern Hosen an. Ich zieh' am liebsten Röcke an.

3 Adjektive vor Nomen: Akkusativ

1 Was tragen Sie gern? **Kombinieren Sie.**

Ich mag Ich trage gern	weiße braune schwarze helle ...	Röcke Hosen Jeans Schuhe ...	und	blaue graue bunte schwarze ...	Hemden. Pullover. T-Shirts. Mäntel. ...

2 Weltmeister. **Lesen und vergleichen Sie.**

Das ist Ronaldo.
Sein T-Shirt ist gelb.
Er trägt **ein gelbes** T-Shirt.
Seine Hose ist blau.
Er trägt **eine blaue** Hose.

Das ist der Trainer.
Sein Trainingsanzug ist schwarz.
Er trägt **einen schwarzen** Anzug.

Das ist die Frauen-Nationalmannschaft aus Deutschland.
Ihre T-Shirts sind weiß.
Sie tragen **weiße** T-Shirts.
Ihre Hosen sind schwarz.
Sie tragen **schwarze** Hosen.

3 Adjektive im Akkusativ mit unbestimmten Artikel

Ü 5

a) Ergänzen Sie die Tabelle mit Beispielen aus dem Text in Aufgabe 1.1.

Grammatik

	den	*das*	*die*
Singular	ein**en** schwarz**en** Trainingsanzug ...	ein gelb**es** T-Shirt ...	ein**e** blau**e** Hose ...
Plural	schwarz**e** Anzüge/T-Shirts/Hosen		

b) Welche Farben trägt Ihre Lieblingsmannschaft? Ergänzen Sie.

Meine Lieblingsmannschaft ist ....

Die Spieler tragen .... T-Shirts und .... Hosen.

4 Ein Spiel im Kurs. **Wer ist das?**

Ü 6

Sie trägt eine grüne Bluse und einen schwarzen Rock.

Das ist Marina!

42

5 Umlaut oder nicht? **Lesen Sie laut und achten Sie auf:** *ie – u – ü* **und** *e – o – ö.*

Ich trage lieber grün. – Ich zieh' gern grüne Blusen an. – Ich liebe bunte Anzüge.
Die Hose ist sehr schön. – Ich trag' gern gelbe Röcke. – Nein, ich trag' lieber rote Röcke.

4 Einkaufsbummel

1 Einkaufsfdialoge

43

a) Sehen Sie die Fotos an und hören Sie zu. Ordnen Sie die Fotos den Texten zu.

b) Lesen Sie die Dialoge mit verteilten Rollen. (■ = Kunde/Kundin, ◆ = Verkäufer/in)

1. 

■ Entschuldigung, wo finde ich hier Jacken und Mäntel?
◆ In der ersten Etage.
■ Können Sie mir bitte helfen, ich suche einen Wintermantel.
◆ Welche Größe bitte?
■ Oh, ich glaube 40 oder 42.
◆ In Größe 40 habe ich diesen hellen. Möchten Sie den mal anprobieren?
■ Nein, die Farbe steht mir nicht. Haben Sie den auch in Dunkelrot oder Blau?
◆ Ja, aber leider nur in Größe 42.
■ Gut, dann probier' ich den dunkelroten an.

3. ▢

■ Guten Tag.
◆ Guten Tag, Sie wünschen bitte?
■ Ich suche eine Jeans.
◆ Suchen Sie eine bestimmte Marke?
■ Nein, das ist egal. Haben Sie etwas Preiswertes da?
◆ Ja, probieren Sie mal diese dunkelblaue, die ist reduziert.
■ Eigentlich möchte ich lieber eine schwarze.
◆ Dann nehmen Sie diese hier.
■ Aber die ist doch sicher teuer!
◆ Nein, die ist auch reduziert.
■ Super, die passt gut.

2. ▢

■ Wo ist hier die Herrenabteilung?
◆ Das ist hier, gleich rechts.
■ Ich suche Hemden.
◆ Wie gefällt Ihnen dieses rote?
■ Ja, ganz gut. Kann ich das mal anprobieren?
◆ Ja natürlich, das steht Ihnen bestimmt sehr gut.
■ Aber die Ärmel sind zu lang!
◆ Moment, ich gebe Ihnen eine andere Größe.

2 Dialoge üben: andere Kleidung, andere Farben, andere Größen.

3 Einkaufsdialoge. Kaufen Sie Kleidung für den Urlaub und fürs Büro.

Ü 7–8

Redemittel

das sagt die Verkäuferin / der Verkäufer	das sagt die Kundin / der Kunde	
Kann ich Ihnen helfen?	Ich suche ein Kleid /	
Kann ich Ihnen etwas zeigen?	einen Anzug / eine Hose.	
Sie wünschen bitte?	Ich hätte gern ...	
Das ist jetzt sehr modern.		in Größe 40?
Das ist / die sind sehr bequem.	Haben Sie das	in meiner Größe?
Die Größe haben wir leider nicht mehr.		in Grün?
Grün steht Ihnen sehr gut / nicht so gut.	Das passt nicht. Das ist mir zu klein/groß.	
Wollen Sie das anprobieren?	Wie steht mir das? / Das steht mir nicht.	
Wie gefällt Ihnen das?	Kann ich das anprobieren?	

4 Demonstrativa. Lesen Sie und ergänzen Sie die Tabelle.

Ü 9

Lange Röcke, T-Shirts und Jeans sind schick.

Dieser nicht. Der ist zu lang, den mag ich nicht!

Dieses nicht. Das ist zu bunt, das mag ich nicht!

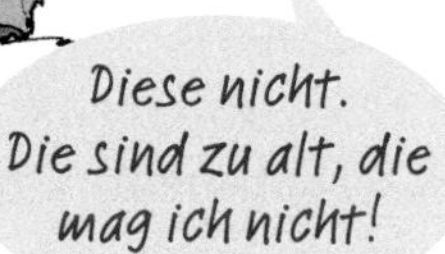

Diese nicht. Die sind zu alt, die mag ich nicht!

Aber ich mag diesen Rock und dieses T-Shirt und diese Jeans!

Grammatik

Nominativ		Akkusativ	
der Rock	dieser Rock	den Rock	.... Rock
das T-Shirt	....	....	*dieses T-Shirt*
die Jeans	....	....	....

5 Fragen üben. Wie fragen Sie? Die Dialoge in Aufgabe 4.1 helfen.

Sie denken:

- Schwarze Hemden gefallen mir nicht.
- Die Bluse passt nicht.
- Das Hemd steht mir nicht.
- Ich möchte einen Anzug anprobieren.

Sie sagen:

Haben Sie die Hemden auch in Blau?

6 Projekt: Einkaufen mit dem Onlinekatalog

Sie haben 100 Euro. Kaufen Sie mit dem Onlinekatalog Kleidung für den Sommer- oder Winterurlaub. Machen Sie eine Liste und berichten Sie.

Ich habe ... gekauft.

Kleidungsstück	Preis	Farbe

Internettipp
www.otto.de
www.quelle.de

5 Es gibt kein schlechtes Wetter ...

... nur falsche Kleidung!

1 Das Wetter in Deutschland und in anderen Ländern.

Ü10 **Lesen Sie. Markieren Sie alle Wörter zum Thema *Wetter*.**

Wie ist das Wetter? Diese Frage hört man in Deutschland sehr oft. Das Wetter ist nicht immer gleich. Darum ist es ein beliebtes Gesprächsthema. Viele Freizeitaktivitäten hängen vom Wetter ab. Hurra, es schneit, der Schnee ist super! Das sagen die Wintersportler. Im Sommer bei einer Grillparty ist immer die Frage: Ist es sonnig oder bewölkt? Hoffentlich regnet es nicht! In Deutschland sitzen die Leute gern in der Sonne, in Parks und Straßencafés oder auf dem Balkon. In Südeuropa geht man lieber ins Haus. Die Sonne ist dort zu heiß. Schönes Wetter heißt in Deutschland Sonne und wenig Regen. Aber in Nordafrika ist der Regen sehr wichtig. In Deutschland ist es im Herbst oft kalt und windig. In Norwegen ist der Winter sehr lang und es ist schon am Nachmittag dunkel. Dort feiern die Menschen den Sommer. Und wie ist gutes Wetter in Ihrem Land?

2 Wetterwörter. Ordnen Sie zu und arbeiten Sie mit dem Minimemo.

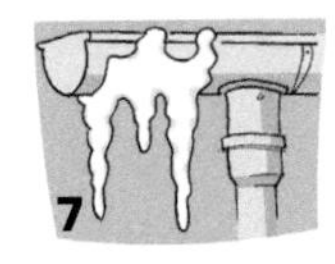

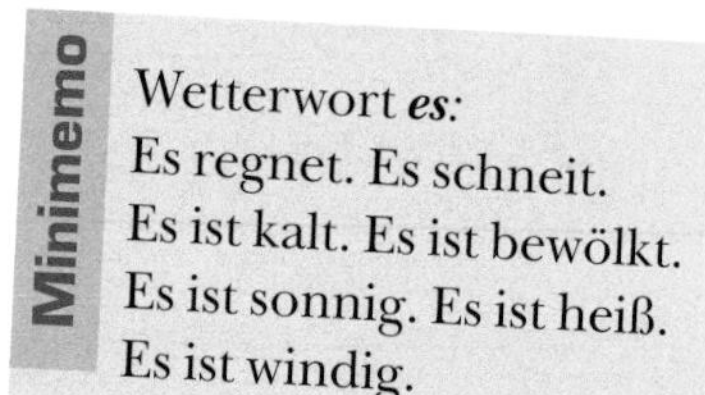

Minimemo

Wetterwort *es:*
Es regnet. Es schneit.
Es ist kalt. Es ist bewölkt.
Es ist sonnig. Es ist heiß.
Es ist windig.

Sonne ☐ Wolken ☐ Regen ☐ Kälte ☐ Wind ☐ Hitze ☐ Schnee ☐

3 Städtewetter

44 Ü11

a) Hören Sie und kreuzen Sie an.

	sonnig/ heiter	bewölkt	Regen	Schnee
Athen	☐	☐	☐	☐
Berlin	☐	☐	☐	☐
London	☐	☐	☐	☐
Madrid	☐	☐	☐	☐
Moskau	☐	☐	☐	☐
Rom	☐	☐	☐	☐
Lissabon	☐	☐	☐	☐

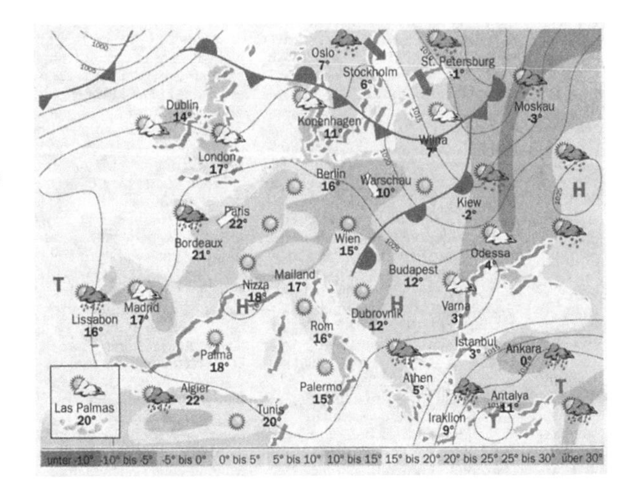

b) **Fragen und antworten Sie.**

45

4 Aussprache *i-ü* oder *e-ö*? Sprechen Sie deutlich.

Es regnet in Berlin und Zürich. – Es ist sonnig in Bern und Köln. –
In Paris und München schneit es. – Es ist bewölkt in Jena. –
Das Wetter in Athen ist schön. – In Kiel und Nürnberg ist es heiter.

46 Ü12

5 Welche Farbe hat die Welt? Hören Sie und lesen Sie mit.

Als ich klein war, ging ich zum Vater
mit dem Malbuch in der Hand und ich fragte:
Welche Farbe hat die Welt?

Welche Farbe hat die Welt?
Ist sie schwarz oder grün?
Ist sie blau oder gelb?
Ist sie rot wie die Rosen oder braun wie die Pferde,
oder ist sie so grau wie des Schäfers große Herde?

Grün sind die Bäume und die Gräser und das Laub.
Bäume tragen Früchte und vertilgen den Staub.
Blau ist das Meer, das die Sonne immer küsst,
blau ist der Himmel,
der dir zeigt, wie klein du bist.

Rot, das ist die Liebe, sie darf niemals vergeh'n,
wenn du erst einmal groß bist, wirst du das versteh'n.
Denn bist du ohne Liebe, dann fehlt dir auch das Glück,
wenn du sie später findest, denk an mein Wort zurück!

Welche Farbe hat die Welt ...

6 Farben und Bedeutung. Welche Bedeutung haben die Farben im Text? Welche Assoziationen haben Sie?

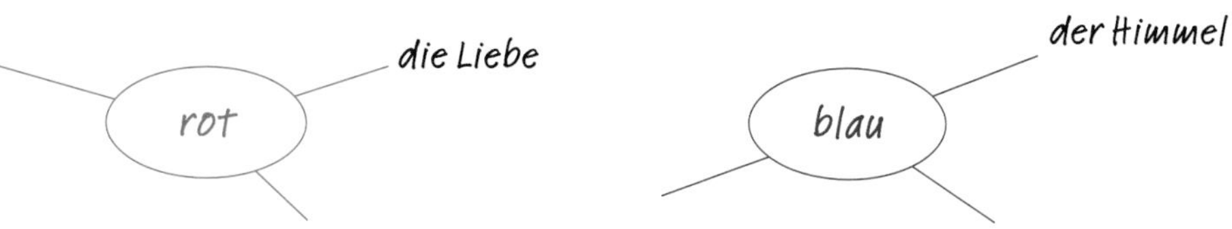

Übungen 11

1 Was ziehe ich wann an? Ordnen Sie die Kleidungsstücke.

Beruf	Freizeit	Party
das Jackett		*das Abendkleid*

47

2 Mode für Männer und Frauen. Welches Bild passt? Hören Sie und kreuzen Sie an.

1. ☐ a ☐ b
2. ☐ a ☐ b
3. ☐ a ☐ b

3 Farben mischen. Wie macht man die Farben?

grau:	*schwarz und weiß*	orange:	....
hellblau:	....	türkis:	....
dunkelblau:	....	dunkelrot:	....
rosa:	....	braun:	....
grün:	....	violett:	....

4 Wie finden Sie ...? Schreiben Sie Fragen und Antworten.

altmodisch – schick – modern – langweilig – elegant – schön – hässlich – cool

■ *Wie finden Sie die Hose auf Bild d?* ....

◆ *Die finde ich schick.* ....

■ *Wie gefällt dir das* ....

◆ ....

■ *Wie* ....

◆ ....

■ ....

◆ ....

■ ....

◆ ....

5 Die Polizei sucht diese Personen. **Wie sehen sie aus? Beschreiben Sie.**

Der Mann trägt ....

....

....

....

....

Die Frau trägt ....

....

....

....

....

6 Die Mode im Herbst. **Schreiben Sie den Text und ergänzen Sie die Adjektive im Akkusativ.**

Die Herbstmode ist in den Geschäften. Hier sehen Sie einen (modisch) Mann. Er trägt eine (grau) Hose und ein (braun) Jackett. Und dazu ein (blau) Hemd. Frauen zeigen in diesem Herbst (elegant) Röcke und (modisch) Hosen. Unser Model trägt einen (lang) Rock und (kurz) Stiefel. Dazu hat sie einen (leicht) Pullover aus Cashmere an.

7 Kleidung kaufen. **Ordnen Sie die Dialoge.**

Blau steht mir nicht. Haben Sie vielleicht einen in Grün? – Ja, danke. Die sind sehr bequem, die nehme ich. – Die Umkleidekabine ist dort rechts. – Größe 39. – ~~Guten Tag, ich hätte gerne einen Mantel, Größe 42.~~ – Guten Tag, Sie wünschen bitte? – Ich hätte gern ein Paar schwarze Winterschuhe. – In Größe 42 habe ich hier diesen blauen. – Ja, diesen hier. Gefällt er Ihnen? – Ja, der ist schön. Kann ich ihn mal anprobieren? – Möchten Sie diese hier anprobieren? – Welche Größe bitte?

Dialog 1

■ *Guten Tag, ich hätte gern einen Mantel, Größe 42.*

◆ ....

■ ....

◆ ....

■ ....

◆ ....

Dialog 2

■ ....

◆ ....

■ ....

◆ ....

■ ....

◆ ....

8 **Textkaraoke.** **Hören Sie und sprechen Sie die ⌓-Rolle im Dialog.**

48

- ...
- Ich suche eine Hose.
- ...
- Größe 40. Haben Sie eine schwarze Hose fürs Büro?
- ...
- Kann ich die in Blau mal anprobieren?
- ...
- Hmm ... die gefällt mir gut. Sie ist auch sehr bequem. Steht sie mir?
- ...
- Gut, dann nehme ich sie.

9 **Dialoge im Kaufhaus.** **Ergänzen Sie *welch-*, *dies-* und *der/das/die*.**

1. ■ .... Stiefel sind Größe 38?
   ◆ .... hier.

2. ■ .... Kleid gefällt Ihnen?
   .... oder
   .... hier?

3. ■ Gefällt Ihnen .... Pullover?
   ◆ Nein, ... gefällt mir nicht, aber
   .... hier ist sehr schön.

4. ■ .... Hose möchten Sie anprobieren?
   ◆ .... da, bitte.

10 **Welche Kleidung passt zum Sommer und welche passt zum Winter?**

das Sommerkleid – das T-Shirt – ~~die Mütze~~ – der Schal – die Handschuhe – das Top – die kurze Hose – der Rollkragenpullover – der Mantel – die Stiefel – das leichte Hemd

Sommer

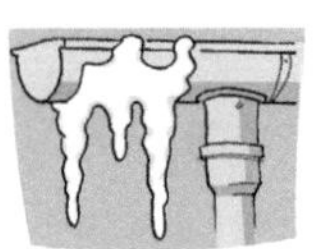

Winter

die Mütze

11 **Wetterwörter. Was gehört zusammen? Verbinden Sie.**

Es schneit.	1	a	der Wind
Es regnet.	2	b	die Sonne
Es ist windig.	3	c	die Wolken
Es ist bewölkt.	4	d	der Schnee
Es ist sonnig.	5	e	der Regen

12 **Lesen Sie den Text. Verbinden Sie die Sätze.**

Kein Schnee in den Alpen. Statt Skifahren: Sonnenbaden

(Kitzbühel, 23. Dezember 2003, pid) Die Skifahrer sitzen vor dem Restaurant auf dem Berg und trinken Bier oder Limonade. Wohin man auch sieht: kein Schnee, kein Eis, nur grünes Gras. Der Winter in diesem Jahr fällt aus. Stattdessen: Sonne pur! Die „Skifahrer“ tragen keinen Anorak und keine Handschuhe, sondern T-Shirts und leichte Hosen. Familie Weiermann kommt jedes Jahr in die Alpen: „So etwas haben wir noch nie erlebt. Letztes Jahr war der Schnee hier einen Meter hoch.“ Die Kinder sind sehr traurig: „Wir möchten Ski fahren und einen Schneemann bauen.“ Der Skilehrer Seppl Huber meint: „In diesem Winter bin ich arbeitslos. Es ist schrecklich. Wir alle warten auf den Schnee.“

Die Skifahrer	1	a	keinen Schnee.
Es gibt	2	b	T-Shirts und leichte Hosen.
Die Skifahrer tragen	3	c	ist arbeitslos.
Es ist	4	d	sitzen in der Sonne.
Der Skilehrer	5	e	warm.

Das kann ich auf Deutsch

sagen, was jemand trägt/anhat
Marco trägt eine schwarze Jeans.
Jana hat einen leichten Sommerrock an.

fragen und antworten, was gefällt / nicht gefällt
■ Wie gefällt dir die Jacke? ◆ Die gefällt mir sehr gut.
■ Wie findest du den Anzug? ◆ Den finde ich altmodisch.

über Kleidung und Farben sprechen
Trägst du gern schwarze Röcke und rote Blusen?
Ich trage gern blaue Hosen und weiße T-Shirts.

Kleidung einkaufen
Ich suche einen Wintermantel.
Haben Sie die schwarze Jacke in meiner Größe?
Wo finde ich hier Jeans? Können Sie mir helfen, ich hätte gern eine Bluse.
Steht mir diese Farbe?

nach dem Wetter fragen, Wetterinformationen verstehen
■ Wie ist das Wetter bei euch in Athen? ◆ Bei uns ist es sonnig.

Wortfelder

Kleidung der Rock, das Hemd, die Hose, die Jacke ...

Farben rot, grün, hellblau ...

Wetterwörter
der Wind, der Regen, die Sonne ...
Es ist windig. Es regnet.

Grammatik

Adjektive im Akkusativ: unbestimmter Artikel
Sie trägt einen **roten** Rock, ein **blaues** T-Shirt, eine **weiße** Hose.

Demonstrativa
■ Wie findest du **diese** Jacke? ◆ **Die** ist zu lang.

Aussprache

Vokale

i – ü – u / e – ö – o viele Anzüge, dunkle Blusen, schöne Hosen

49

Laut lesen und lernen

Dein neues Kleid steht dir super!
■ Wie gefällt Ihnen die blaue Jeans? ◆ Ich hätte lieber eine schwarze.
■ Möchten Sie den Rock anprobieren? ◆ Ja. Haben Sie den in meiner Größe?
■ Wie ist das Wetter bei euch in Wien? ◆ Hier regnet es.

12 Körper und Gesundheit

1 Der Körper

1 Körper und Sport

a) Lesen Sie die Texte. Ordnen Sie das passende Foto zu.

1. ▢ Jedes Jahr fahren Urlauber zum Skifahren in die Alpen. Nicht alle kommen gesund nach Hause. 2003 hatten in der Schweiz ca. 42 000 Skifahrer einen Unfall. Für Ulrike Weniger war der Wintersport mit dem Gipsbein vorbei, der Urlaub zum Glück nicht.
2. ▢ Beim Bodybuilding trainieren die Sportler die Muskeln an Armen, Beinen, am Bauch und am Rücken. Bodybuilder müssen viel trainieren und gesund essen. Arne Hövel braucht täglich 5000 Kilokalorien. Für ihn heißt das: jeden Tag Fisch, Fleisch, Reis und Gemüse – und zwei Stunden Training im Fitness-Studio.
3. ▢ Im Sommer in die Berge? Das ist für Sebastian Hachinger keine Frage. Für ihn sind besonders die Felsen interessant. Er ist Steilwandkletterer und braucht starke Finger und Arme. Sebastian trainiert vor dem Urlaub zu Hause in Innsbruck. Er geht dann nicht auf Berge, er klettert Wände hoch.
4. ▢ Maria Otto macht jeden Tag Tai Chi. Der Sport ist für sie Entspannung. Tai Chi ist gut für den Körper und den Kopf. Konzentration ist sehr wichtig. Jeder kann Tai Chi lernen – auch Senioren. Für sie gibt es spezielle Kurse.

b) Sprechen Sie über die Fotos.

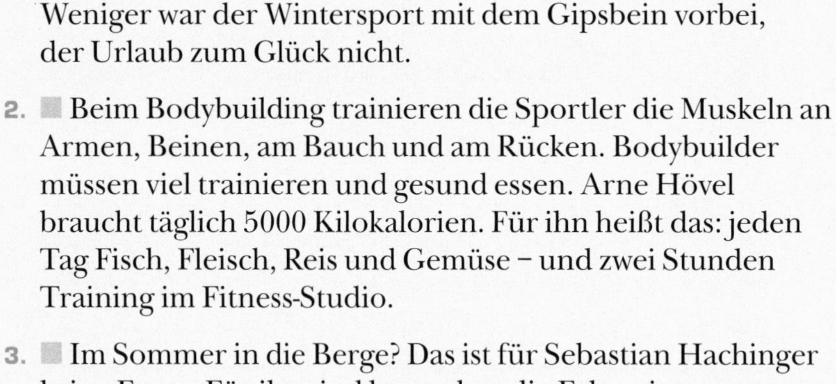

Ich mag ...

Bodybuilding finde ich ...

Klettern ist ein Trendsport.

2 Ein „Wörterkörper".

Zeichnen Sie weiter und ergänzen Sie *Knie, Fuß* und die Körperteile aus den Texten in Aufgabe 1.

Hier lernen Sie

- Körperteile benennen
- beim Arzt: sagen, was man hat und was wo weh tut
- Empfehlungen und Anweisungen geben
- Imperativ
- Modalverb *dürfen*
- Personalpronomen im Akkusativ

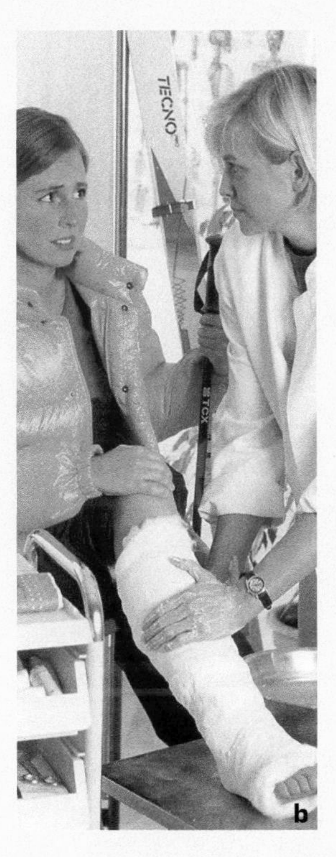

3 **Zwei Augen, zehn ... Notieren Sie die Körperteile im Plural. Arbeiten Sie mit der Wörterliste auf Seite 127.**

4 **Körperteile von oben nach unten nennen.**
Ü 1–2 **Ordnen Sie und sprechen Sie schnell.**

a) die Nase, das Bein, das Knie, der Fuß, das Auge, der Bauch

b) der Mund, der Bauch, die Haare, der Hals, die Ohren, die Füße

5 **Körperteile und Tätigkeiten. Was passt? Ergänzen Sie.**

2 Bei der Hausärztin

1 50 **Herr Aigner hat Fieber und Halsschmerzen. Er macht einen Termin bei seiner Hausärztin. Hören Sie und notieren Sie den Termin.**

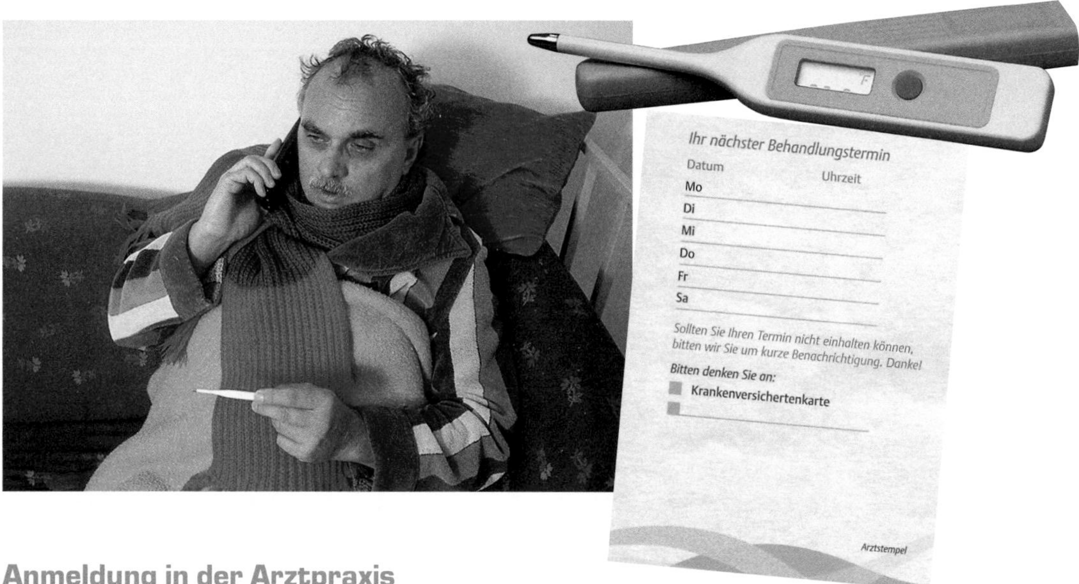
Ihr nächster Behandlungstermin

Datum	Uhrzeit
Mo	
Di	
Mi	
Do	
Fr	
Sa	

Sollten Sie Ihren Termin nicht einhalten können, bitten wir Sie um kurze Benachrichtigung. Danke!

Bitten denken Sie an:
- Krankenversichertenkarte
-

Arztstempel

2 51 **Anmeldung in der Arztpraxis**

a) Hören Sie und lesen Sie mit. Was ist anders?

■ Guten Morgen, mein Name ist Aigner. Ich hatte einen Termin.
◆ Morgen, Herr Aigner. Waren Sie in diesem Quartal schon mal bei uns?
■ Nein, in diesem Quartal noch nicht.
◆ Dann brauche ich Ihre Krankenversicherungskarte.
■ Hier, bitte. Muss ich warten?
◆ Ja, aber nicht lange. Hier ist Ihre Karte. Sie können im Wartezimmer Platz nehmen.

b) Sprechen Sie den Dialog laut. Achten Sie auf Aussprache und Betonung.

Landeskunde

Krankenversicherung

Seit über 100 Jahren gibt es in Deutschland die Krankenversicherung. Arbeitnehmer müssen sich gegen Krankheit versichern. Alle Versicherten bekommen eine Krankenversicherungskarte. Beim Arzt muss man sie zeigen. Auf der Karte sind Informationen über die Versicherten gespeichert. Die Krankenversicherung bezahlt nicht alle Arztkosten. Medikamente kauft man in der Apotheke. Man braucht ein Rezept vom Arzt. Tabletten gegen Kopfschmerzen und Hustensaft kann man auch ohne Rezept kaufen.

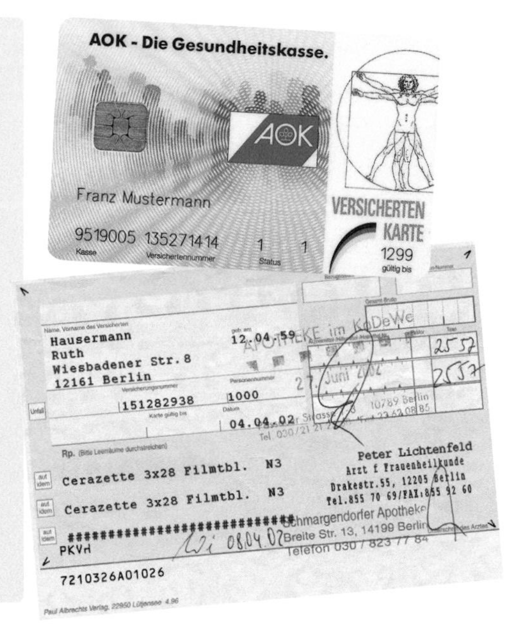

3 52 **Bei der Ärztin. Was sagt Herr Aigner? Ergänzen Sie die Sätze und kontrollieren Sie mit der CD.**

Darf ich rauchen? – Tag, Frau Doktor. Ich habe seit zwei Tagen Fieber und mein Hals tut weh. – Hust-hust. Ist es schlimm? – Ja, mach ich. Danke, Frau Doktor. Auf Wiedersehen. – Aaaaa!

■ Guten Tag, Herr Aigner. Was fehlt Ihnen denn?

◆ ....

■ Sagen Sie mal „Aaaa"!

◆ ....

■ Ja, Ihr Hals ist ganz rot. Husten Sie mal!

◆ ....

■ Na ja, Sie haben eine Erkältung. Ich schreibe Ihnen ein Rezept.

◆ ....

■ Nein, und Sie dürfen auch keinen Alkohol trinken! Ich schreibe Sie eine Woche krank. Und kommen Sie bitte nächste Woche wieder.

◆ ....

■ Gute Besserung, Herr Aigner!

4 Ü 3–5 **Dialoge üben. Wählen Sie eine Rollenkarte aus. Schreiben und spielen Sie Dialoge mit dem Partner / der Partnerin.**

Herr Wondrak fühlt sich nicht gut. Er arbeitet 14 Stunden am Tag. Der Arzt schreibt ihn drei Tage krank. Herr Wondrak muss sich ausruhen und darf nicht mit der Firma telefonieren.

Frau Beier hat seit einer Woche Schnupfen und Husten. Der Arzt verschreibt Hustensaft. Frau Beier muss viel trinken. Sie darf nicht schwimmen gehen.

Tobias hat Fußball gespielt. Jetzt tut sein Bein weh. Die Ärztin verschreibt eine Sportsalbe. Tobias muss sein Bein dreimal täglich einreiben. Er darf keinen Sport machen.

Redemittel

das sagt die Ärztin / der Arzt

Was fehlt Ihnen? / Wo haben Sie Schmerzen? / Tut das weh?
Haben Sie auch Kopf-/Hals-/Rückenschmerzen?
Ich schreibe Ihnen ein Rezept.
Nehmen Sie die Tabletten dreimal am Tag vor/nach dem Essen.
Sie dürfen keinen Alkohol trinken. / Sie dürfen nicht rauchen.
Bleiben Sie im Bett. Ich schreibe Sie ... Tage krank.

das sagt die Patientin / der Patient

Ich fühle mich nicht gut. / Mir geht es nicht gut.
Ich habe Bauch-/Magenschmerzen. / Mein Arm/Knie/... tut weh.
Wie oft / wann muss ich die Medikamente nehmen?
Darf ich rauchen? / Wann darf ich wieder Sport machen?
Wie lange muss ich im Bett bleiben?
Ich brauche eine Krankschreibung für meinen Arbeitgeber.

3 Empfehlungen und Anweisungen

1 Tipps aus der Apothekenzeitung

a) Lesen Sie den Text schnell durch (eine Minute!). Was ist das Thema? Kreuzen Sie an.

- Tipps für neue, interessante Medikamente
- Tipps für die Gesundheit im Herbst und im Winter
- Tipps für die Ernährung von Sportlern

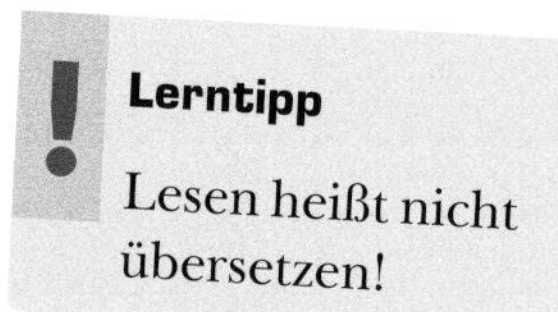

Lesen heißt nicht übersetzen!

APOTHEKEN Umschau
15. September 2004 B
Das Gesundheits-Magazin • Bezahlt von Ihrer Apotheke

Im Herbst das Immunsystem stärken

Falsche Kleidung bei Regen, Schnee und Kälte und schon tun Hals und Kopf weh – Sie haben eine Erkältung. Im Herbst und Winter nehmen Erkältungen zu. Was kann man dagegen tun? Sport und Bewegung sind gut für das Immunsystem. Gehen Sie spazieren oder joggen Sie – auch im Winter! Duschen Sie abwechselnd heiß und kalt oder gehen Sie in die Sauna. Wichtig: kein Stress! Machen Sie autogenes Training, Yoga oder Gymnastik und denken Sie daran: Energie tanken! Trinken Sie viel und oft, am besten Tee und Mineralwasser. Nehmen Sie sich Zeit zum Essen. Essen Sie viel Obst und Gemüse und trinken Sie frischen Orangensaft. Er hat viel Vitamin C. Brot, Nudeln und Kartoffeln machen Sie fröhlich. Essen Sie wenig Fleisch, aber zweimal in der Woche Fisch. Dann bleiben Sie auch im Herbst und Winter gesund!

Energie tanken

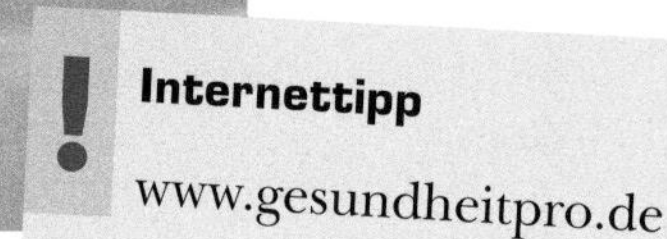

b) Lesen Sie den Text noch einmal. Sammeln Sie die Tipps gegen Erkältung. Haben Sie andere Tipps?

Gehen Sie ...

2 Aussagesatz – Imperativsatz.

Wo steht das Verb? Vergleichen Sie.

Sie (trinken) Tee.

(Trinken) Sie Tee!

Arzneitee Nr.26
Heilkräuter nur aus Ihrer Apotheke
H&S
H&S® Salbeiblätter
Bei Entzündungen der Mund- und Rachenschleimhaut

 **3** Probleme und Ratschläge. **Sammeln Sie Probleme und passende Ratschläge. Schreiben Sie jeden Satz auf eine Karte. Suchen Sie im Kurs die passende Karte.**

 **4**  Imperative

Ü 6

a) Finden Sie weitere Formen im Text zu Aufgabe 1 und ergänzen Sie die Tabelle.

Grammatik

Infinitiv	Imperativ (3. Pers. Pl.)	2. Pers. Sg.	Imperativ (2. Pers. Sg.)
nehmen	Nehmen Sie eine Tablette!	du nimmst	Nimm eine Tablette!
gehen	Gehen Sie zum Arzt!	du gehst	Geh zum Arzt!
…	…	…	…

b) Vergleichen Sie die 2. Person Singular und den Imperativ. Ergänzen Sie die Regel.

Regel Imperativ = 2. Person Singular minus .... !

Minimemo
Du bist zu laut.
Sei bitte ruhig!

5 Drei Tipps für den Rauchstopp. **Christina hat es geschafft! Hier ihre Tipps für Hermann und Silke.**

Ü 7

1. Wählt eine Zeit ohne Stress für den Rauchstopp, zum Beispiel den Urlaub.
2. Geht nicht auf Partys oder in Kneipen. Oder: Geht mit Nichtrauchern aus.
3. Verändert typische Rauchsituationen – nehmt nicht Kaffee mit Zigarette, trinkt lieber Tee und lest Zeitung dazu.

a) Haben Sie weitere Tipps? Welche funktionieren gut? Welche nicht?

 **b) Ergänzen Sie die Tabelle.**

Grammatik

Infinitiv	2. Pers. Pl.	Imperativ (2. Pers. Pl.)
gehen	Ihr geht nicht auf Partys.	Geht nicht auf Partys!
…	…	…

4 Personalpronomen im Akkusativ

1 Wer sagt was? **Ordnen Sie die Sätze den Zeichnungen zu.**

1. ▒ Wo bleibst du? Ich warte auf dich!
2. ▒ Es ist aus, aber ich liebe ihn noch!
3. ▒ Wie findest du sie?
4. ▒ Holst du uns am Bahnhof ab?

2 Dichten mit Akkusativpronomen. **Schreiben Sie ein Gedicht.**

	höre(n)	mich	
	sehe(n)	dich	nicht.
Ich	liebe(n)	ihn, sie, es	heute.
Wir	brauche(n)	uns	, oder?
	kenne(n)	euch	, aber ...
	verstehe(n)	sie	

Ich höre dich.
Ich sehe dich.
Ich liebe dich,
aber wir kennen uns nicht.

3 Ein Liebesbrief. **Ergänzen Sie die Personalpronomen im Akkusativ.**
Ü 8

Liebe Jenny,

du kennst ...., wir sehen .... jeden Morgen im Bus. Ein Morgen ohne .... ist wie ein Morgen ohne Sonne! Manchmal siehst du .... an, das macht .... sehr glücklich. Mein Herz klopft dann sehr laut – kannst du .... hören? Ich denke oft an .... Deine Augen, deine Haare – du bist für .... eine Traumfrau! Ich möchte .... kennen lernen. Kommst du morgen um 19.30 Uhr ins Café Bohème?

Viele liebe Grüße, dein Pjotr

4 Schreiben Sie einen Antwortbrief für Jenny. Die Baukästen helfen.
Ü 9 Lesen Sie Ihren Brief laut vor.

5 **Sätze mit Emotionen – das Emotionsthermometer**

a) Ordnen Sie die Sätze von links nach rechts und vergleichen Sie im Kurs.

Ich mag dich! Lass mich in Ruhe!
Ich hasse dich! Ich hab' dich lieb!
Du nervst mich!
Ich liebe dich! Du langweilst mich!

b) Was denken die beiden?

Übungen 12

1 (CD 53) **Morgengymnastik. Die fünf Tibeter.** Hören Sie und ordnen Sie zu.

2 **Was passt?** Schreiben Sie die Körperteile zu den Gegenständen.

1. *die Nase, die Augen*

2. ....

3. ....

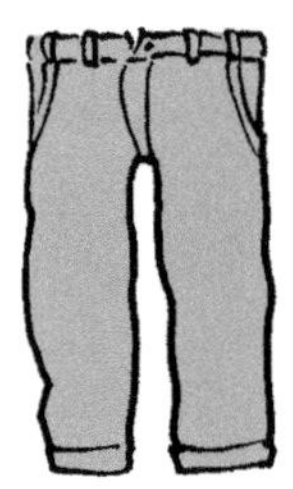

4. ....

5. ....

6. ....

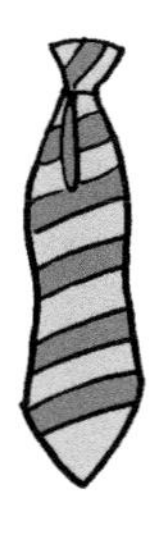

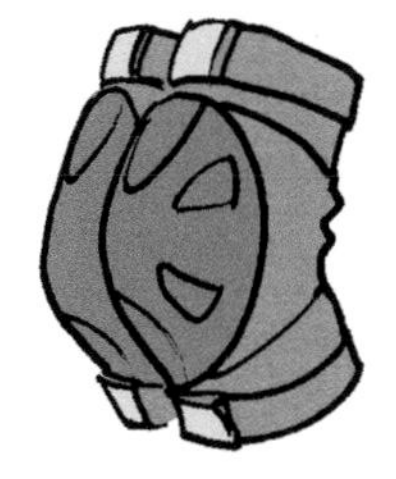

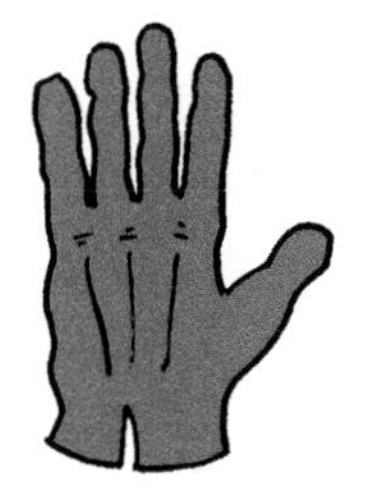

7. .... 8. .... 9. ....

3 Arztbesuche

a) Zu welchem Arzt gehen Sie? Ordnen Sie die Sätze zu.

Dr. med. Annette Mätzer
praktische Hausärztin
Mo, Di, Do 10–13 u. 14–18 Uhr
Mi + Fr 10–14 Uhr
Tel.: 626 65 45
a

Innere Medizin, Kardiologie
Dr. med. Lutz Pannier
Mo.–Fr. 9–12
Mo. u. Do. 14–16 Uhr
Tel.: 55 66 78 94
b

Dr. med. B. Sendler
Augenärztin
Sehschule und Kontaktlinsen
Mo, Di, Do 10–13 u. 14–18 Uhr
Mi + Fr 9–13 Uhr
alle Kassen
c

Dr. med. Andrea Frisch
Fachärztin für Kinderheilkunde und Allergologie
Mo–Fr 10–12 u. 15–17 Uhr,
Sa n. Vereinb.
d

Dr. med. dent. A. Lange
Zahnarzt
Mo.–Fr. 9–12,
Mo. u. Do. 14–19 Uhr
Tel.: 56 32 75 88
e

1. ☐ Mein Kind hat Fieber.
2. ☐ Ich habe Zahnschmerzen.
3. ☐ Ich habe Halsschmerzen und Schnupfen.
4. ☐ Ich habe Magenschmerzen.
5. ☐ Ich kann nicht gut sehen.

b) Anmeldung in der Zahnarztpraxis. Ergänzen Sie den Dialog.

Nein, leider nicht. – Guten Tag, ich habe starke Zahnschmerzen. – Hier, bitte. – Ja, mein Name ist Marianowicz. Muss ich lange warten? – Gut, mache ich. Danke.

■ Guten Tag.

◆ ....

■ Haben Sie einen Termin?

◆ ....

■ Waren Sie schon mal bei uns?

◆ ....

■ Leider ja. Wir haben heute viele Patienten. Ich brauche Ihre Krankenversicherungskarte.

◆ ....

■ Danke ... So, hier ist Ihre Karte. Bitte nehmen Sie im Wartezimmer Platz.

◆ ....

4

Bei der Hausärztin. **Was fehlt Ihnen? Ergänzen Sie.**

Was fehlt Ihnen denn?

1. ....

4. ....

2. ....

5. *Ich habe Halsschmerzen. / Mein Hals tut weh.*

3. ....

6. ....

5 **Verboten**

a) Was darf man / dürfen Sie hier nicht? Schreiben Sie Sätze.

parken – fotografieren – ~~ins Wasser springen~~ – weiterfahren – Fußball spielen – essen und trinken – Ski fahren

1. *Hier dürfen Sie nicht* ....
2. ....
3. ....
4. *Hier darf man nicht ins Wasser springen.*
5. ....
6. ....
7. ....

b) Suchen Sie auf Seite 89 die fehlenden Formen von *dürfen* und ergänzen Sie im Heft.

ich ...
du darfst
er/sie/es ...
wir dürfen
ihr dürft
sie/Sie ...

6 Herr Gabel ist krank. Was sagt der Arzt? **Hören Sie den Dialog und kreuzen Sie an.**

54

- 1 x täglich Obst und Gemüse essen
- 3 x täglich Hustensaft nehmen (vor dem Schlafen)
- 3 x nach dem Essen Tabletten nehmen

1 ☐

- nach dem Essen viel trinken
- nicht rauchen
- nach dem Essen 3 Tabletten nehmen
- vor dem Schlafen Hustensaft nehmen

2 ☐

- viel Obst und Gemüse essen
- vor dem Schlafen Hustensaft nehmen
- 3 x nach dem Essen Tabletten nehmen
- viel Tee oder Wasser trinken

3 ☐

7 Imperative. **Was sagen Sie?**

1. morgen pünktlich kommen (ihr)
   Bitte kommt morgen pünktlich!
2. etwas lauter sprechen (Sie)
   Sprechen Sie bitte etwas lauter!
3. das Wörterbuch geben (du)
   Gib mir bitte das Wörterbuch!
4. einen Moment warten (ihr)
   ....
5. die Regel erklären (Sie)
   ....
6. das Auto reparieren (Sie)
   ....
7. den Brief noch einmal vorlesen (du)
   ....
8. noch ein Stück Kuchen nehmen (du)
   ....

8 55 **Partygespräche. Hören Sie die Gespräche und ergänzen Sie die Personalpronomen im Akkusativ.**

1. ■ Siehst du den tollen Typ da drüben?
   ◆ Den Blonden? Das ist Peter! Findest du .... gut?
   ■ Ja, er sieht super aus!
   ◆ Ich habe seine Telefonnummer. Ruf .... doch mal an.

2. ■ Bist du noch mit Ulla zusammen?
   ◆ Nein, ich habe .... schon seit einem halben Jahr nicht mehr getroffen.

3. ■ Hallo! Ich glaube, ich habe .... schon einmal gesehen.
   ◆ Ja, natürlich! Am Montag haben wir .... in der Galerie getroffen. Wie geht es Ihnen denn?

4. ■ Du hast ja ein tolles Kleid an!
   ◆ Danke. Ich habe .... letzte Woche gekauft.

5. ■ Ihr habt .... im Café am Markt getroffen, du und ein junger Mann. Du liebst .... nicht mehr!
   ◆ Natürlich liebe ich .... noch. Er ist mein Kollege. Wir hatten ein Arbeitsessen.

9 **Finden Sie die zehn Wörter.**

1. Ein toller Mann: ....
2. Diesen Brief bekommt jeder gern: ....
3. Bodybuilder trainieren die ....
4. Damit gehen wir: ....
5. Etwas tut weh. Ich habe ....
6. Das bekommt man vom Arzt und bringt es zur Apotheke: ....
7. Eine Medizin: ....
8. Das Gegenteil von Bauch: ....
9. Ein Raum in der Arztpraxis: ....
10. Eine leichte Krankheit: ....

R	M	U	S	K	E	L	N	F	T	S	M
L	D	W	T	R	A	U	M	M	A	N	N
I	N	R	E	Z	E	P	T	A	D	R	O
E	O	T	A	B	L	E	T	T	E	N	H
B	P	X	I	R	Ü	C	K	E	N	V	T
E	Z	I	R	K	K	U	L	V	G	W	Q
S	K	O	M	B	U	N	O	L	M	D	J
B	S	X	O	H	W	W	V	O	G	M	L
R	S	S	C	H	M	E	R	Z	E	N	G
I	W	A	R	T	E	Z	I	M	M	E	R
E	R	K	Ä	L	T	U	N	G	J	Q	U
F	W	A	D	Q	B	E	I	N	E	F	K

Das kann ich auf Deutsch

beim Arzt sagen, was ich habe und was wo weh tut

Ich habe Kopfschmerzen/Halsschmerzen/Rückenschmerzen. / Ich habe Fieber.
Ich fühle mich nicht gut. / Mein Kopf tut weh.

fragen, wie es jemandem geht

Wie geht es Ihnen? / Wie geht es dir? / Wie fühlen Sie sich? / Wie fühlst du dich?

Fragen und Informationen beim Arzt verstehen

Wo haben Sie Schmerzen? / Sagen Sie mal Aaaa! /
Ich schreibe Sie drei Tage krank. / Ich schreibe Ihnen ein Rezept.
Brauchen Sie eine Krankschreibung?

Anweisungen und Empfehlungen geben

Nehmen Sie die Tabletten nach dem Essen. / Rauch nicht so viel! /
Geht doch heute mal früher ins Bett!

Wortfelder

Körperteile	der Kopf, die Nase, das Bein, die Augen ...
beim Arzt / in der Apotheke	die Halsschmerzen / Kopfschmerzen / Rückenschmerzen die Erkältung, das Medikament, das Rezept

Grammatik

Imperativ

Ruf mich an! / **Nehmen** Sie die Tabletten vor dem Essen! / **Arbeitet** zusammen!

Modalverb *dürfen*

Darf ich hier rauchen? / Hier **dürfen** Sie nicht parken.

Personalpronomen im Akkusativ

Du verstehst **mich** nicht. Ich liebe **dich**. Ich kenne **ihn/es/sie**. Sie besuchen **uns** heute. Wir rufen **euch** an. Triffst du **sie** heute? Ich kann **Sie** nicht gut hören.

Laut lesen und lernen

56

Aua, das tut weh!
Ich bin erkältet. Meine Nase läuft.
Ich fühle mich nicht gut. / Mir geht es schlecht. / Mir geht es gar nicht gut.
Nimm eine Tablette! / Essen Sie mehr Obst und trinken Sie weniger Alkohol.

1 Berufsbilder

1 **Beruf *Reiseverkehrskauffrau.* Sehen Sie die Fotos an. Was machen Reiseverkehrskaufleute?**

Jenny Manteufel, Reiseverkehrskauffrau

Jenny Manteufel arbeitet im Reisebüro Ikarus in Kassel. Sie ist Reiseverkehrskauffrau und organisiert Urlaubs- und Geschäftsreisen. Reiseverkehrskaufleute reservieren Zimmer in Hotels und informieren Kunden über Reiseziele. Frau Manteufel muss viele Länder sehr gut kennen. Sie ist Spezialistin für Reisen nach Kanada. Mit dem Computer recherchiert sie Reiseziele oder Fahrpläne. Sie muss viel organisieren, z. B. Exkursionen planen und dann die Hotels buchen. Manchmal macht sie auch eine Qualitätskontrolle in Hotels oder sie informiert sich über neue Reisetrends auf einer Messe. Letzte Woche war sie in Friedrichshafen zur Internationalen Touristikmesse „Reisen und Freizeit". Im Trend sind Trekking-Touren.

2 **a) Lesen Sie den Text und sammeln Sie Informationen im Wörternetz.**

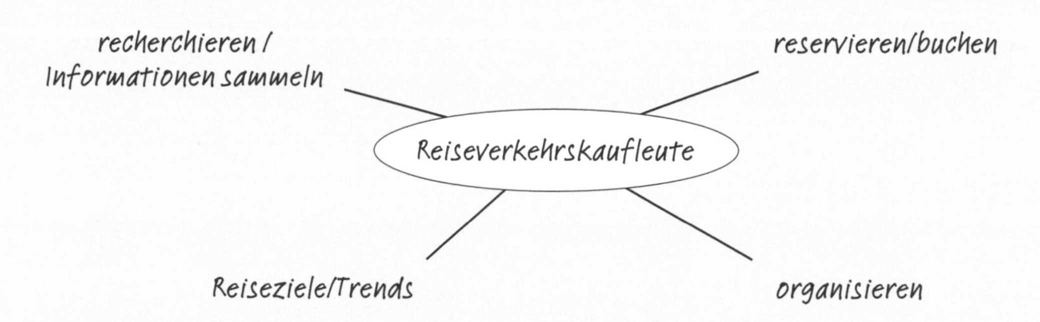

57

b) Was erzählt Jenny Manteufel noch? Hören Sie das Interview und ergänzen Sie das Wörternetz.

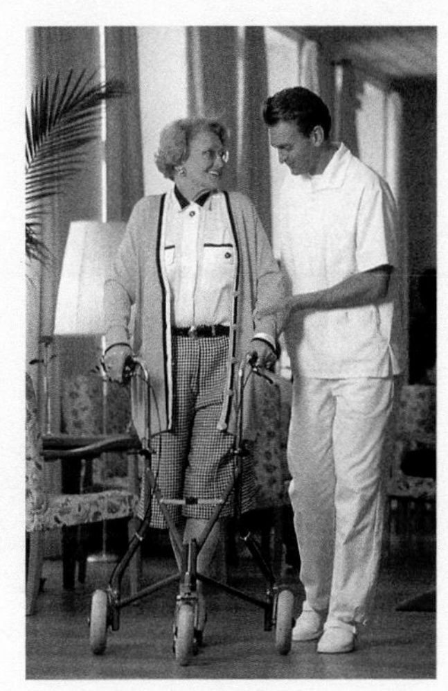

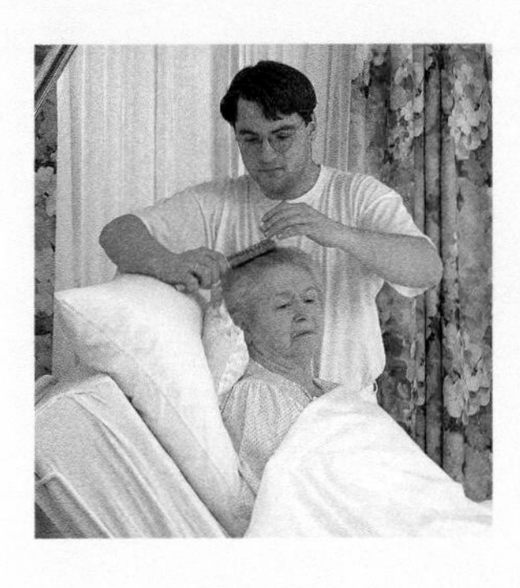

3 **Beruf *Gesundheits- und Krankenpfleger.* Lesen Sie den Text und sammeln Sie die Informationen in einer Tabelle.**

Roland Sänger, Gesundheits- und Krankenpfleger

Gesundheits- und Krankenpfleger/innen pflegen, beobachten und beraten Patientinnen und Patienten. Wir müssen z. B. die Patienten waschen oder Essen und Medikamente verteilen. Wir helfen den Ärzten auch bei Untersuchungen. Bei Operationen kontrollieren wir medizinische Apparate und Instrumente. Meistens arbeiten wir in Krankenhäusern, aber auch in ambulanten Stationen, dann pflegen wir die Patienten auch zu Hause. Meine Ausbildung hat drei Jahre gedauert. Im Moment arbeite ich im Schichtbetrieb im Krankenhaus. Meine Arbeit beginnt mal um sechs Uhr morgens, mal um zwei Uhr mittags oder um zehn Uhr abends.

Aufgaben	Arbeitszeiten	Arbeitsorte
Patienten pflegen		

58

4 **Dialoge im Beruf. Wer sagt was? Ordnen Sie die Dialoge im Heft. Kontrollieren Sie mit der CD und spielen Sie die Dialoge.**

~~Was kann ich für Sie tun?~~ – Kein Fieber? Wir messen aber noch einmal vor dem Frühstück. – Wie viel kostet der Flug? – 278 Euro, inklusive Steuern. – Guten Morgen, Frau Otto. Wie geht es Ihnen? – Ich muss am 27. September in Istanbul sein. – Wann gibt es Frühstück? – Um 14.10 Uhr. – In zwei Minuten, danach nehmen Sie bitte die Tabletten, okay? – Also, es gibt einen Flug am 27.09. um 11.35 Uhr. – Danke, besser. Ich habe kein Fieber. – Wann bin ich dann in Istanbul? – Gut, aber geben Sie mir bitte noch ein Glas Wasser. – Ja, der ist gut, den nehme ich.

Im Reisebüro	Im Krankenhaus
Was kann ich für Sie tun?	*Guten Morgen, Frau Otto. Wie*

2 Themen und Texte

1 a) **Deutsch und Deutschland im Alltag.** **Kennen Sie Produkte „Made in Germany"? Sammeln Sie.**

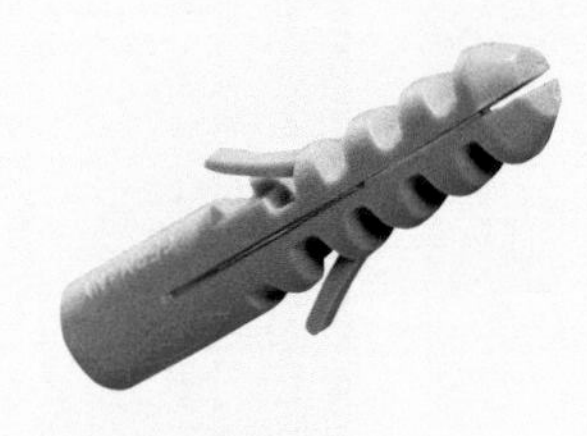

b) **Lesen Sie den Text. Welche Überschrift passt am besten?**

a **In einem Labor in Hamburg**

b **Creme und Body Lotion aus Öl, Wasser und Eucerit**

c **Nivea – eine Creme geht um die Welt**

Wer kennt sie nicht, die blaue Cremedose mit der weißen Schrift? Nivea-Creme ist seit 1911 auf dem Markt. Der Apotheker Dr. Oskar Troplowitz hat sie schon um 1900 in seinem Labor in Hamburg entwickelt. Troplowitz hat Öl und Wasser mit Eucerit gemischt und so eine stabile Hautcreme erfunden. Der Name Nivea kommt von „nivis", lateinisch für Schnee. Die blaue Dose gibt es seit 1924. Sie symbolisiert Frische und Sauberkeit. Nivea – das ist heute nicht nur Creme und Body Lotion, es ist die größte Kosmetik- und Körperpflegemarke der Welt.

c) **Zahlen und Wörter.** **Notieren Sie Informationen aus dem Text.**

1911 ....

Labor ....

blaue Dose ....

Wählen Sie eine Person aus und schreiben Sie ihre Biografie.

Ideen:

- Name, Alter, Herkunft, Beruf, Hobbys
- Was hat die Person gestern Abend / letzten Sommer / am Freitag gemacht?
- Wie ist/war ihr Tagesablauf?
- Was macht sie (nicht) gern?
- Welche Kleidung trägt sie gern / nicht gern?
- Was isst/trinkt sie gern?

3 Grammatik und Phonetik intensiv

1 **Modalverb *dürfen*. In der Bibliothek, im Park, im Theater, im Kino, im Museum ... Was darf man, was darf man nicht? Sammeln Sie Beispiele aus Ihrem Land.**

Bei uns darf man im Kino ...
NO TOURISTS

In Deutschland darf man im Park nicht grillen.

59

2 **Lange und kurze Vokale. Hören, markieren und lesen Sie laut.**

geregnet – gezẹltet; gebadet – gemacht; gespielt – besichtigt; geplant – übernachtet

Ich habe eine Radtour gemacht. Du hast dich an der Ostsee erholt.
Er hat am Meer gezeltet.

60

3 **Aussprache *-e, -en, -el, -er*. Hören Sie. Dann lesen Sie laut.**

Ich habe heute keine Sahnetorte. / Am liebsten möchten wir einen Kuchen essen.
Äpfel und Kartoffeln sind Lebensmittel. / Eier esse ich lieber, aber Eier sind teuer.

61

4 **Aussprache *i, ü, e, ö*. Hören Sie die Wortpaare und sprechen Sie nach.**

vier – für, lesen – lösen, der Vogel – die Vögel, drücken – drucken

62

5 **Drei lange Vokale nebeneinander. Hören Sie und sprechen Sie nach.**

vier – für – ich fuhr, das Tier – die Tür – die Tour, Kiel – kühl – cool

6 **Ihr Lieblingstext. Wählen Sie einen Text aus *studio d* und lesen Sie ihn laut vor.**

7 **Reflexion „Unser Deutschkurs“**

a) Schreiben Sie Sätze über den Kurs auf Papierstreifen. Die Stichwörter helfen.

Lesen kann ich gut.

Wir müssen mehr Spiele machen.

schreiben – sprechen – hören – lesen – Hausaufgaben – Spiele – Grammatik – Wörter – Dialoge – Aussprache – Fotos – Video – Internet – Übungen

... kann ich gut / sehr gut / gar nicht.
... hat viel/wenig Spaß gemacht.
... mag ich gar nicht.
Das Thema ... finde ich ...
Probleme habe ich mit: ...

... müssen wir mehr machen.
... können wir weniger machen.
Langweilig/interessant war ...
Meine Lieblingseinheit war ...

b) Sammeln Sie die Sätze und ordnen Sie sie. Machen Sie ein Plakat für den Kursraum.

4 Videostation 3

25:31

1 **Justyna lädt Da und Andrick ein.** Ergänzen Sie die Karte mit Informationen aus dem Video.

EINLADUNG

Liebe Da,

Katja ist aus .... zurück! Das wollen wir ....

Du bist herzlich eingeladen!

Wann? Am 18. Juni, abends um .... Uhr!

Bitte iss vorher nichts, es gibt .... und .... !

Liebe Grüße und bis dann
Justyna

26:05

2 **Der Einkaufszettel von Justyna.**
Was kauft sie auf dem Markt? Streichen Sie durch.

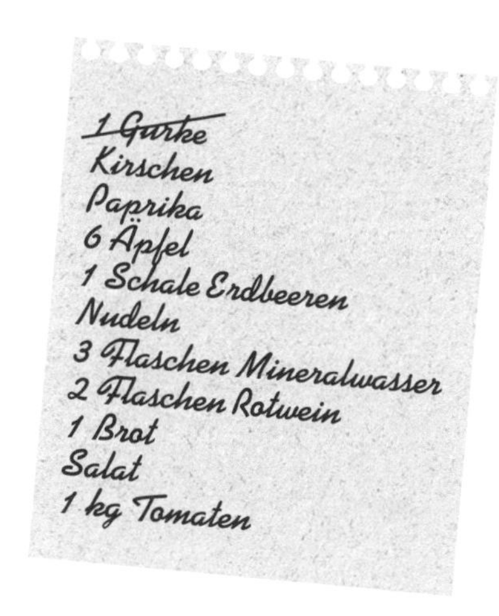

~~1 Gurke~~
Kirschen
Paprika
6 Äpfel
1 Schale Erdbeeren
Nudeln
3 Flaschen Mineralwasser
2 Flaschen Rotwein
1 Brot
Salat
1 kg Tomaten

26:55

3 **Was gibt es auf dem Markt?**

a) Sammeln Sie Produkte.

Obst	Gewicht/ Preis	Gemüse	Gewicht/ Preis	Käse	Gewicht/ Preis
Äpfel	1 kg / 1,99 €	Gurken	....	....	....
Erdbeeren	....	....	....	....	....

b) Gewicht? Preise? Sehen Sie die Marktszene noch einmal und ergänzen Sie Ihre Tabelle.

4 Katja schreibt einen Brief an ihren Vater und erzählt von Berlin.

Was hat sie gemacht? Korrigieren Sie die Reihenfolge. Schreiben Sie den Brief. Verwenden Sie *zuerst, dann, danach.*

1. Später bin ich dann noch am Potsdamer Platz gewesen.
2. Frau Garve hat mich nach dem Studium gefragt.
3. Im September kann ich in Berlin anfangen!
4. Im Verlag habe ich eine Besucherkarte bekommen.
5. Ich habe in der Friedrichstraße eingekauft.
6. Ich habe eine Stadtrundfahrt mit der Linie 100 gemacht.

12:06

5 In die Alpen oder ans Meer? Sehen Sie die Urlaubsvideos von Justyna an. Ordnen Sie die Wörter.

Ruhe – Sonnenschein – Fitnessurlaub – Beachvolleyball – wandern – klettern – Natur – Schnee – Insel Rügen – Abenteuer – Bewegung – Caspar David Friedrich – Nord- und Ostsee – Bergführer – schwimmen

29:53

Berge	Meer	Berge und Meer
....	....	....
....	....	....

6 Beim Wandern in den Alpen gibt es am Ende immer eine Brotzeit. Beschreiben Sie, was das ist.

7 Ferienpläne. Wer sagt was? Katja (K), Justyna (J) oder Matthias (M)?

1. Ich muss bis zum Sommer noch drei Referate halten und dann fahre ich in die Berge.
2. Ich fahr' lieber ans Meer.
3. Genau: Sonne, Strand, baden ...
4. Ich finde die Alpen besser.
5. Egal, Hauptsache endlich Ferien!

34:07

5 Endspurt: Eine Rallye durch *studio d*

Dieses Spiel führt Sie durch den ersten Band von *studio d*.
Wer ist zuerst am Ziel?

Spielregeln

Sie brauchen:
zwei bis vier Spieler,  einen Würfel,  eine Münze pro Spieler.

Was Sie tun:
richtige Antwort = zwei Kästchen weiter
falsche Antwort = zwei Kästchen zurück

Wörter-Joker =
pro richtige Antwort
ein Feld weiter

Sie haben zehn Sekunden Zeit
pro Antwort.

1
Was haben Sie gestern gemacht? Nennen Sie drei Dinge.

8
Wortfeld Stadt: vier Nomen

9
Ergänzen Sie den Dialog.

Guten Tag,
ich hätte gerne ...
Darf es sonst ...?
Haben Sie auch ...?

10
Fragen Sie einen Spielpartner nach seinem Traumberuf.

11
Wie heißt der Satz?

seinen Sohn
um 17 Uhr
Peter Löscher
ab
vom Kindergarten
holt

12
Welche Körperteile haben wir nur einmal?

13
Wie spät ist es?

14
Wortfeld Wohnung: fünf Zimmer

15
Sie suchen eine Bank. Fragen Sie.

Ziel

24
Welche Frage passt?

Antwort:
„Im dritten Stock links, Zimmer 321."

23
Wann sind Sie geboren?

22
Buchstabieren Sie den Vornamen Ihres Spielpartners.

2
Wie heißt der Plural?

der Stuhl
das Radio
der Mann
die Straße

3
Wie heißen die Artikel?

Postkarte
Autobahn
Berufsplan
Toilettenpapier

4
Berlin: fünf Sehenswürdigkeiten

21
Nennen Sie vier Berufe.

7
Was ist das Gegenteil?

lang
teuer
alt
spät
dunkel

6
Fragen Sie nach der Uhrzeit.

5
Langer oder kurzer Vokal? Sprechen Sie laut.

Nudeln
Saft
Tasche
wohnen
viel

20
Sie kommen zu spät. Was sagen Sie?

16
Wie heißt das Partizip II?

gehen
arbeiten
hören
aufstehen

17
Sie haben eine Grippe. Was sagen Sie dem Arzt?

18
Wo sind …?

der Eiffelturm
das Kolosseum
das Brandenburger Tor

19
Länder/Sprachen. Ergänzen Sie.

Italien/…
…/polnisch
…/chinesisch
die Türkei/…

Modelltest Start Deutsch 1

Wenn Sie den Band **studio d A1** durchgearbeitet haben, können Sie Ihre Deutschkenntnisse mit der Prüfung „Start Deutsch 1" dokumentieren. Damit können Sie nachweisen, dass Sie sich auf einfache Weise auf Deutsch verständigen können und dass Sie die Niveaustufe A1 des Gemeinsamen europäischen Referenzrahmens erreicht haben. Der Test besteht aus vier Teilen: Hörverstehen, Leseverstehen, Schreiben und Sprechen.

Hören

1 Hören Sie jeden Text zweimal und kreuzen Sie an.

63–68

1. Wann kommt Herr Hübner?
a) Gegen 10.30 Uhr.
b) Gegen 11.30 Uhr.
c) Gegen 11.15 Uhr.

2. Welche Zimmernummer hat Frau Dr. Kunz?
a) 244.
b) 224.
c) 242.

3. Wie kommt der Mann zur Oper?
a) Er geht an der Kreuzung nach links.
b) Er geht an der Kreuzung nach rechts.
c) Er geht geradeaus bis zur Kreuzung.

4. Wo war Herr Düllmann im Urlaub?
a) In den Bergen.
b) Am Meer.
c) Auf der Insel Sylt.

5. Herr Kaminski hat ...
a) Kopfschmerzen.
b) Bauchschmerzen.
c) Halsschmerzen.

6. Was wollen die Frau und der Mann Nina schenken?
a) Ein Kleid.
b) Einen Mantel.
c) Einen Pullover.

2 Hören Sie jeden Text einmal. Kreuzen Sie an.

69–72

	richtig	falsch
7. Auf der linken Seite ist die Humboldt-Universität.		
8. Die Erdbeeren kosten 1,99 Euro.		
9. Im Herbst soll man Vitamin C nehmen.		
10. Die Vorwahl von Japan ist 0088.		

3 Sie hören jeden Text zweimal. Kreuzen Sie an.

73–77

11. Wohin fährt der Mann?
 a) Nach Hause.
 b) Ins Büro.
 c) Nach Köln.

12. Wann kann man Dr. Mocker dienstags erreichen?
 a) Von 11 bis 19 Uhr.
 b) Von 8 bis 13 Uhr.
 c) Von 8 bis 12 Uhr.

13. An welchem Tag will die Frau einen Termin haben?
 a) Am Samstag.
 b) Am Donnerstag.
 c) Am Dienstag.

14. Wie war das Wetter im Norden?
 a) Bewölkt.
 b) Sonnig.
 c) Heiß.

15. Wie viel kosten die T-Shirts?
 a) 29,95 Euro.
 b) 9,95 Euro.
 c) 19,95 Euro.

Lesen

1 Sind die Sätze richtig oder falsch? Kreuzen Sie an.

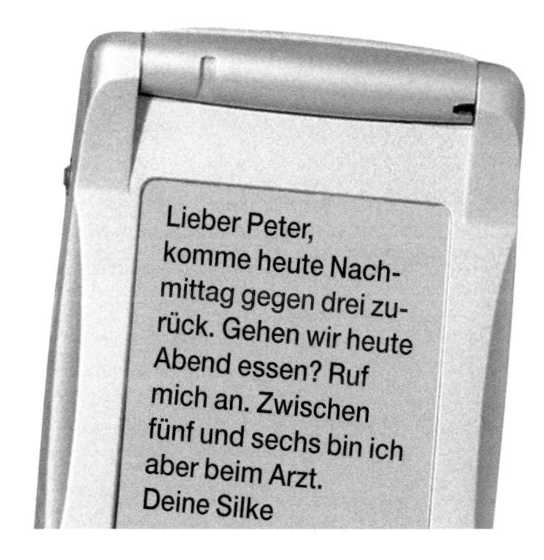

Lieber Peter,
komme heute Nachmittag gegen drei zurück. Gehen wir heute Abend essen? Ruf mich an. Zwischen fünf und sechs bin ich aber beim Arzt.
Deine Silke

1. Silke kommt um 15.00 Uhr an.
 richtig falsch

2. Peter soll sie zwischen fünf und sechs Uhr anrufen.
 richtig falsch

3. Pia und Holger sind umgezogen.
 richtig falsch

4. Das Wohnzimmer ist sehr hell.
 richtig falsch

5. Die Küche ist nicht sehr groß.
 richtig falsch

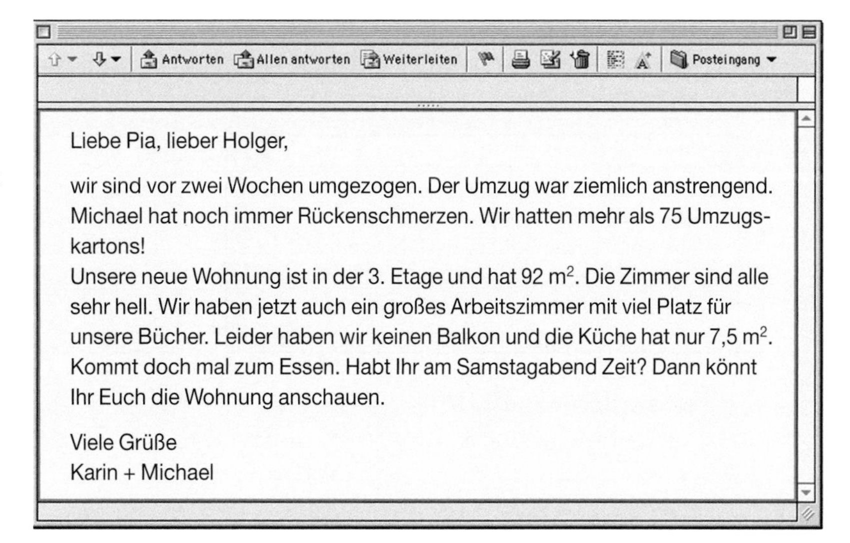

Liebe Pia, lieber Holger,

wir sind vor zwei Wochen umgezogen. Der Umzug war ziemlich anstrengend. Michael hat noch immer Rückenschmerzen. Wir hatten mehr als 75 Umzugskartons!
Unsere neue Wohnung ist in der 3. Etage und hat 92 m². Die Zimmer sind alle sehr hell. Wir haben jetzt auch ein großes Arbeitszimmer mit viel Platz für unsere Bücher. Leider haben wir keinen Balkon und die Küche hat nur 7,5 m². Kommt doch mal zum Essen. Habt Ihr am Samstagabend Zeit? Dann könnt Ihr Euch die Wohnung anschauen.

Viele Grüße
Karin + Michael

2 Lesen Sie die Texte und die Aufgaben. Kreuzen Sie an.

6. Sie möchten Polnisch lernen. Wo finden Sie Informationen?

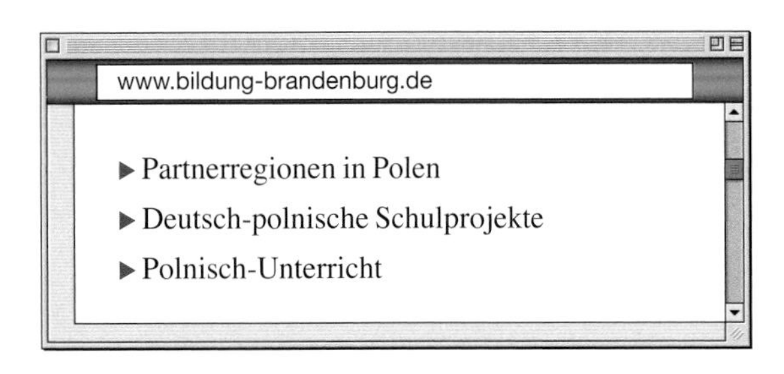

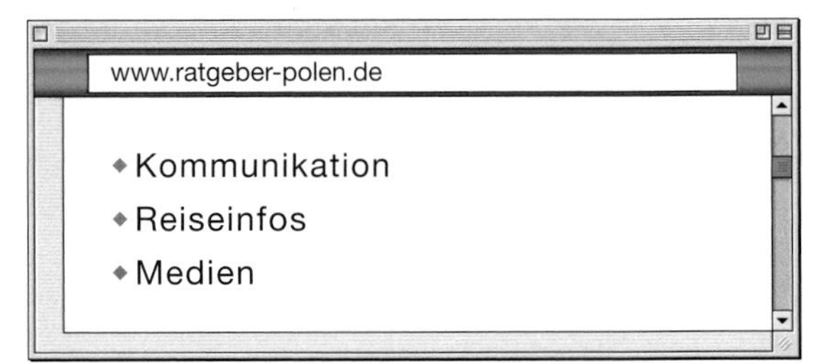

a) ☐ www.bildung-brandenburg.de
b) ☐ www.ratgeber-polen.de

7. Sie suchen einen neuen Kleiderschrank. Wo finden Sie Informationen?

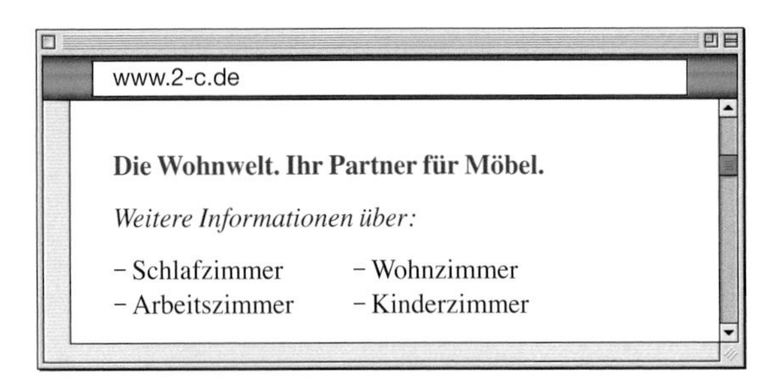

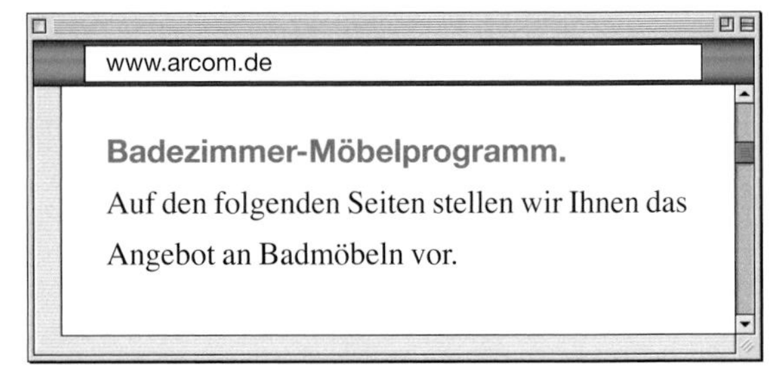

a) ☐ www.2-c.de
b) ☐ www.arcom.de

8. Sie möchten in Österreich auf der Donau eine Schiffsreise machen. Wo bekommen Sie Informationen?

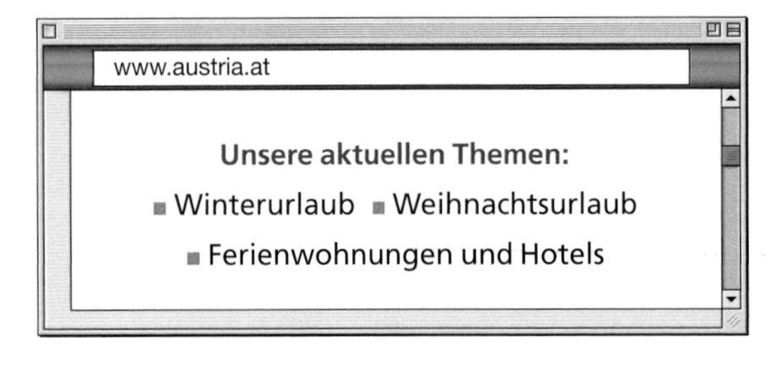

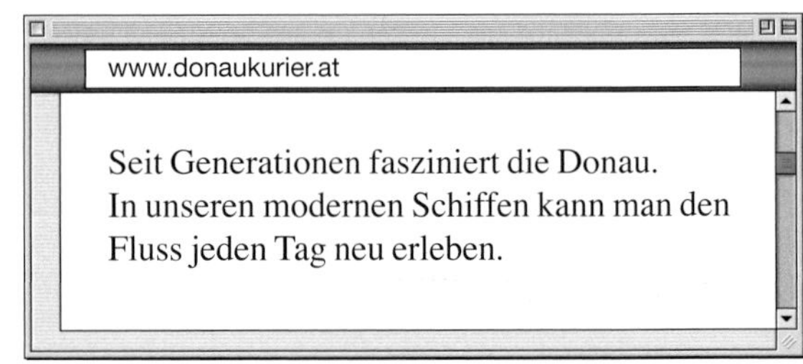

a) ☐ www.austria.at
b) ☐ www.donaukurier.at

9. Sie möchten im Schwarzwald arbeiten. Wo finden Sie Informationen?

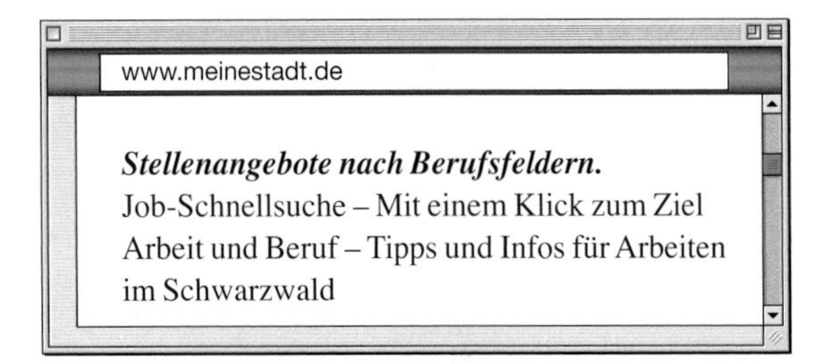

a) ☐ www.meinestadt.de
b) ☐ www.schwarzwald.com

10. Sie möchten einen Kletter-Kurs für Anfänger machen. Sie können aber nur nachmittags. Wo rufen Sie an?

Sport- und Kletterclub Buch
geöffnet: jeden Abend
☎ 949 78 25

Alpinclub Essen
geöffnet: 12.00 – 22.00 Uhr
Telefon: 879 85 126

a) ☐ Tel. 949 78 25.
b) ☐ Tel. 879 85 126.

3 Lesen Sie die Texte und die Aufgaben. Kreuzen Sie an.

11. An einer Arzttür:

Es ist Mittwochvormittag. Sie können bei Dr. Steffens jetzt einen Termin bekommen.
☐ richtig ☐ falsch

Dr. Kai-Alexander Steffens

Sprechzeiten:

Mo	Di	Mi	Do	Fr
9–12	9–12		9–12	11–14
15–19	15–18	15–18	15–18	

12. In der S-Bahn:

Heute fahren die S-Bahnen nur bis zum Hauptbahnhof.
☐ richtig ☐ falsch

Die S-Bahn-Linie S1 fährt heute nur zum Hauptbahnhof. Zur Weiterfahrt nach Griesheim nehmen Sie bitte die S2.

13. An der Tür einer Bäckerei:

Schon heute können Sie Brot und Brötchen in der Herrenbergerstraße 22 kaufen.
☐ richtig ☐ falsch

WIR SIND UMGEZOGEN!
Die Bäckerei Blank finden Sie ab sofort in der Herrenberger Straße 22.

14. Eingang von einem Geschäft:

Ihr Tisch ist kaputt. Sie können ihn in das Geschäft bringen.
☐ richtig ☐ falsch

Wir kaufen, verkaufen und reparieren alte Möbel.

15. In der Sprachschule:

Die Teilnehmer können mittags einkaufen gehen.
☐ richtig ☐ falsch

Das Exkursionsprogramm für den Kurs Deutsch II am 8.10.

7.57 Uhr	Abfahrt Hauptbahnhof Tübingen
9.53 Uhr	Ankunft Heidelberger Hauptbahnhof
10.00 – 14.00 Uhr	Stadtbesichtigung (Universität, Heidelberger Schloss usw.)
15.00 – 19.00 Uhr	frei (Stadtbummel, Einkaufen in der Hauptstraße)
19.30 Uhr	Theaterbesuch

Schreiben

1 **Ihre Freundin, Jitka Staňková, spricht kein Deutsch. Sie möchte einen Deutschkurs an der Volkshochschule machen (Deutschkurs, Stufe 1, Anfänger). Im Kursprogramm finden Sie folgenden Kurs für sie:**

Deutsch – Stufe I
Kursnummer: 4017-40
Mo + Di + Do + Fr 9.00–12.00 Uhr
€ 192,–

Helfen Sie ihr und füllen Sie das Anmeldeformular für sie aus.

Sie wohnt jetzt in Hannover, in der Lutherstraße 63. Die Postleitzahl ist 30171. Zu Hause war Ihre Freundin Redakteurin bei einer Zeitung.

Familienname:	
Vorname:	
Straße, Hausnummer:	
Postleitzahl, Wohnort:	
Telefon:	0511/818384
Beruf:	
Kursnummer:	
Kurs:	
Preis:	

2 **Sie sind krank. Sie können nicht nach Frankfurt zum Verlag Bauer kommen. Schreiben Sie eine E-Mail.**

Schreiben Sie:
Entschuldigung.
Vorschlag:
neuer Termin – wann?

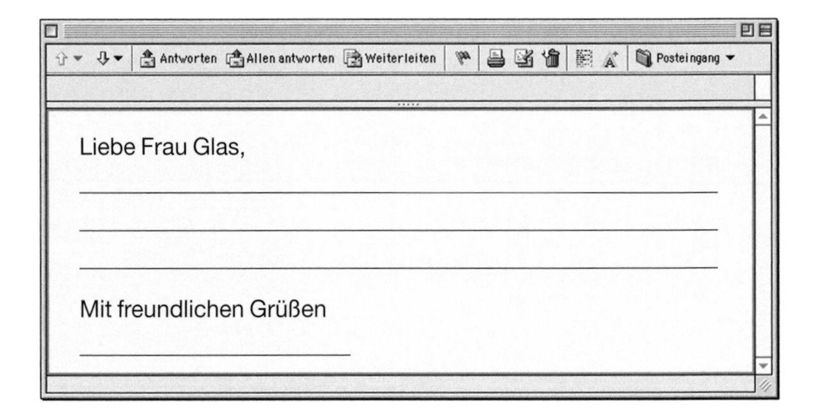

Sprechen

1 **Sich vorstellen. Bitte erzählen Sie etwas über Ihre Person.**

Name? – Alter? – Land? – Wohnort? – Sprachen? – Beruf? – Freizeit?

2 **Arbeiten Sie in Gruppen. Stellen Sie sich Fragen zum Thema „Das letzte Wochenende" und beantworten Sie die Fragen.**

Einkaufen: Wo? Was? – Essen/Trinken: Was? –
Freunde/Familie treffen: Wann? – Freizeit: Was? Wo? Mit wem?

3 **Aufforderungen formulieren und darauf reagieren. Arbeiten Sie mit einem Partner / einer Partnerin. Wählen Sie zwei Situationen aus. Spielen Sie die Dialoge.**

Grammatik auf einen Blick – *studio d A1*

Rückblick auf die Einheiten 1–6 (Teilband 1)

Sätze

1 W-Fragen

2 Satzfragen

3 Aussagesatz

4 Der Satzrahmen

5 Zeitangaben im Satz

6 Adjektive im Satz nach Nomen

7 *Es* im Satz

8 Wörter verbinden Sätze
 1 Pronomen
 2 Artikel
 3 *dort* und *da*
 4 *das*

Wörter

9 Nomen mit Artikel
 1 Bestimmter Artikel: *der, das, die*
 2 Unbestimmter Artikel: *ein, eine*
 3 Verneinung: *kein, keine*
 4 Bestimmter, unbestimmter Artikel und Verneinung im Akkusativ
 5 Possessivartikel im Nominativ

10 Nomen im Plural

11 Wortbildung: Komposita

11 Präpositionen: *am, um, bis, von ... bis* + Zeit

13 Präpositionen: *in, neben, unter, auf, vor, hinter, an, zwischen, bei* + Ort (Dativ)

14 Präposition: *mit* + Dativ

15 Fragewörter

16 Verben
 1 Verben: Stamm und Endungen
 2 Hilfsverben *sein* und *haben*

17 Verben: Verneinung mit *nicht*

Einheiten 7–12

Sätze

18 Zeitangaben im Satz

19 Angaben im Satz – wie oft?: *jeden Tag, manchmal, nie*

20 Der Satzrahmen
 1 Das Perfekt im Satz
 2 Modalverben im Satz: *wollen, müssen, dürfen, können*

21 *Es* im Satz

22 Wörter verbinden Sätze: *zuerst, dann, danach, und*

Wörter

23 Artikelwörter im Akkusativ: Possessivartikel und *(k)ein-*

24 Demonstrativa: *dies-*

25 Personalpronomen im Akkusativ

26 Wortbildung:
 1 Nomen + *-in (Lehrerin)*
 2 Nomen + *-ung (Zeitung)*

27 Adjektive – Komparation: *gut, gern, viel*

28 Adjektive im Akkusativ – unbestimmter Artikel: *einen roten Mantel*

29 Präpositionen: *in, durch, über* + Akkusativ

30 Präpositionen: *zu, an ... vorbei* + Dativ

31 Modalverben: *müssen, wollen, können, möchten, mögen*

32 Imperativ

33 Perfekt: regelmäßige und unregelmäßige Verben
 1 Partizip der regelmäßigen Verben
 2 Partizip der unregelmäßigen Verben

Sätze

1 W-Fragen
E 3, 5

	Position 2			
Woher	kommen	Sie?	Aus Italien.	
Was	trinken	Sie?	Kaffee bitte.	Woher kommen Sie?
Wie	heißt	du?	Claudio.	
Wie viel Uhr	ist	es?	Halb zwei.	
Wann	kommst	du?	Um drei.	
Wer	spricht	Russisch?	Ich.	

2 Satzfragen
E 3

	Position 2		
Kommen	Sie	aus Italien?	
Trinken	Sie	Kaffee?	Kommen Sie aus Italien?
Warst	du	schon mal in München?	
Können	Sie	das bitte wiederholen?	

3 Aussagesatz
E 3

	Position 2	
Ich	spreche	Portugiesisch.
Hildesheim	liegt	bei Hannover.
Das Kinderzimmer	ist	zu klein.

4 Der Satzrahmen
E 5

		Position 2		Satzende
Aussagesatz	Ich	rufe	dich am Samstag	an.
	Ich	stehe	am Sonntag um elf	auf.
	Ich	gehe	um zehn	schlafen.
	Ich	kann	auf Deutsch	buchstabieren.
W-Frage	Wann	stehst	du am Sonntag	auf?
	Wann	gehst	du	schlafen?
	Was	möchten	Sie	trinken?
Satzfrage	Rufst	du	mich am Samstag	an?
	Können	Sie	das bitte	buchstabieren?

5 Zeitangaben im Satz

E 5

	Position 2	
■ Wir	gehen	**am Sonntag** ins Kino. Kommst du mit?
◆ **Am Sonntag**	kommt	meine Mutter. Das geht nicht.
■ Gehen	wir	**am Samstag** ins Museum?
◆ Ja, **am Samstag**	geht	es.

6 Adjektive im Satz nach Nomen

E 4

Meine Wohnung ist **klein**.

Ich finde meine Wohnung **schön**.

7 *Es* im Satz

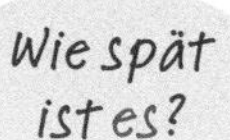

8 Wörter verbinden Sätze

E 2

1 Pronomen

Das ist Frau Schiller. Sie ist Deutschlehrerin.

2 Artikel

Wo ist mein Deutschbuch? **Das** ist dort drüben!

Kennst du Frau Schiller? Ja, **die** kenne ich, die ist Deutschlehrerin.

E 3

3 *dort* und *da*

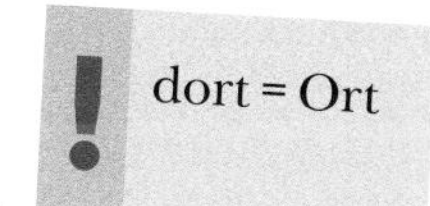

Warst du schon mal in Meran? **Dort** spricht man Italienisch und Deutsch.

■ Gehen wir am Montag ins Kino. ◆ Tut mir Leid, **da** kann ich nicht. Zeit

■ Warst du schon mal in Meran? ◆ Nein, **da** war ich noch nicht. Ort

E 2, 5

4 *das*

■ Cola, Wasser , Cappuccino. **Das** macht 8 Euro 90.

? ◆ **Das** verstehe ich nicht. Können Sie **das** wiederholen?

■ Kommst du am Freitag? ◆ Freitag? Ja, **das** geht.

9 Nomen mit Artikel: *der, das, die, ein, eine, kein, keine*

E2 1 Bestimmter Artikel: *der, das, die*

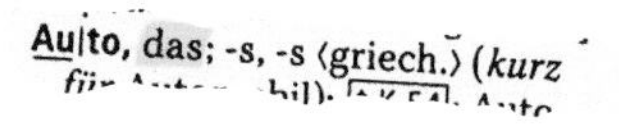

Haus *n* (-es; ¨er) casa *f*; (*Gebäude*)

der Computer	*das* Haus	*die* Tasche
maskulin	neutrum	feminin

E2 2 Unbestimmter Artikel: *ein, eine*

ein Computer	*ein* Haus	*eine* Tasche
maskulin	neutrum	feminin

E2 3 Verneinung: *kein, keine*

Das ist ein Computer.

Das ist ***kein*** Computer, das ist ein Monitor.

Singular			Plural
der Computer	*das* Haus	*die* Tasche	*die* Computer, Häuser, Taschen
ein Computer	*ein* Haus	*eine* Tasche	– Computer, Häuser, Taschen
kein Computer	*kein* Haus	*keine* Tasche	*keine* Computer, Häuser, Taschen

E4 4 Bestimmter/unbestimmter Artikel und Verneinung im Akkusativ

	Nominativ		Akkusativ	
Das ist	*der/(k)ein* Flur.	Ich finde	**den** Flur	zu klein.
	das/(k)ein Bad.		*das* Bad	
	die/(k)eine Toilette.		*die* Toilette	
		Ich habe	**(k)einen** Flur.	
			(k)ein Bad.	
			(k)eine Toilette.	

5 Possessivartikel im Nominativ

Personalpronomen	Singular *der* Balkon / *das* Bad	*die* Wohnung	Plural *die* Balkone/Bäder/Wohnungen
ich	mein	meine	
du	dein	deine	
er, es, sie	sein	seine	
wir	unser	unsere	
ihr	euer	eure	
sie/Sie	ihr/Ihr	ihre /Ihre	

10 Nomen im Plural

–	~s	~n	~e
der Computer die Computer	das Foto die Foto**s**	die Tafel die Tafel**n**	der Kurs die Kurs**e**
der Lehrer die Lehrer	das Handy die Handy**s**	die Regel die Regel**n**	das Heft die Heft**e**
der Rekorder die Rekorder	der Kuli die Kuli**s**	die Lampe die Lampe**n**	der Tisch die Tisch**e**

~(n)en	~(ä/ö/ü)~e	~(ä/ö/ü)~er
die Zahl die Zahl**en**	der Stuhl die St**ü**hl**e**	das Haus die H**ä**us**er**
die Lehrerin die Lehrerin**nen**	der Schwamm die Schw**ä**mm**e**	das Buch die B**ü**ch**er**
die Tür die Tür**en**	der Ton die T**ö**n**e**	das Wort die W**ö**rt**er**

Regel Der bestimmte Artikel im Plural ist immer **die**.

Lerntipp
Nomen zusammen mit Pluralformen lernen

11 Wortbildung: Komposita

E 2

das Büro
der Flur
der Schreibtisch

der Stuhl
die Lampe

Bestimmungswort ↓ Grundwort ↓

der Büro-stuhl
die Büro-lampe
die Flur-lampe
die Schreibtisch-lampe

Regel Der Artikel von Komposita ist der Artikel des Grundwortes.
Das Grundwort steht am Ende.

12 Präpositionen: *am, um, bis, von … bis* + Zeit

E 5

am	**Am** Montag gehe ich in den Kurs.	Zeitpunkt ↓	am + Tag
um	Der Kurs beginnt **um** neun Uhr.		um + Uhrzeit
von … bis	Der Kurs dauert **von** 19 **bis** 21 Uhr. / **von** Montag **bis** Freitag. / **bis** Sonntag.	Zeitraum ←→	

13 Präpositionen: *in, neben, unter, auf, vor, hinter, an, zwischen, bei* + Ort (Dativ)

E 6

Wo ist mein Autoschlüssel?

Der Autoschlüssel hängt an der Wand.

… liegt auf der Kommode.

… liegt unter der Zeitung.

… liegt im Regal neben den Büchern.

Singular

		der Schreibtisch	*das* Regal	*die* Kommode
Der Schlüssel ist	in neben unter auf vor hinter	**dem** Schreibtisch	**dem** Regal	**der** Kommode.
Der Schlüssel hängt	an			**der** Wand.

Plural

Der Stuhl steht	zwischen bei	**den** Schreibtischen / **den** Regalen / **den** Kommoden.

in dem = **im**
an dem = **am**
bei dem = **beim**

Regel der/das → **dem** die → **der** die (Plural) → **den**

14 Präposition: *mit* + Dativ

E 6

der Bus		**mit dem** Bus zur Arbeit.
das Auto	Ich fahre	**mit dem** Auto zur Arbeit.
die Straßenbahn		**mit der** Straßenbahn zur Arbeit.

15 Fragewörter

E 1, 2, 3, 5

wo?	■ Wo warst du gestern?	◆ In Hamburg.
	■ Aarau? Wo liegt denn das?	◆ In der Schweiz.
woher?	■ Woher kommen Sie?	◆ Aus Polen. / Aus der Türkei.
was?	■ Was heißt das auf deutsch?	◆ Radiergummi.
	■ Was möchten Sie trinken?	◆ Kaffee, bitte.
wer?	■ Wer ist denn das?	◆ Das ist John.
wie?	■ Wie heißt du?	◆ Ich heiße Ana.
	■ Wie viel Uhr ist es?	◆ Es ist halb neun.
wann?	■ Wann kommst du nach Hause?	◆ Um vier.

16 Verben

E 1, 2

1 Verben: Stamm und Endungen

	kommen	**wohnen**	**heißen**	**trinken**	**können**	**möchten**	**mögen**
ich	komm**e**	wohn**e**	heiß**e**	trink**e**	**kann**	möchte	**mag**
du	komm**st**	wohn**st**	heiß**t**	trink**t**	**kannst**	möcht**est**	**magst**
er/es/sie	komm**t**	wohn**t**	heiß**t**	trink**t**	**kann**	möchte	**mag**
wir	komm**en**	wohn**en**	heiß**en**	trink**en**	könn**en**	möcht**en**	mög**en**
ihr	komm**t**	wohn**t**	heiß**t**	trink**t**	könn**t**	möcht**et**	mög**t**
sie / Sie	komm**en**	wohn**en**	heiß**en**	trink**en**	könn**en**	möcht**en**	mög**en**

E 3, E 5

2 Hilfsverben *sein* und *haben*

		Präsens	Präteritum	Präsens	Präteritum
Singular	ich	bin	war	habe	hatte
	du	bist	warst	hast	hattest
	er, es, sie	ist	war	hat	hatte
Plural	wir	sind	waren	haben	hatten
	ihr	seid	wart	habt	hattet
	sie / Sie	sind	waren	haben	hatten

17 Verben: Verneinung mit *nicht*

Ich	gehe	am Sonntag	nicht	ins	Theater.
Ich	kann	heute	nicht.		
Am Freitag	kann	ich	nicht.		
Das	geht		nicht.		
Kommst		du	nicht	mit?	

Sätze

18 Zeitangaben im Satz
E 7

		Position 2		
■	Wir	gehen	**am Sonntag** ins Kino. Kommst du mit?	
◆	**Am Sonntag**	kommt	meine Mutter. Das geht nicht.	
	Meine Mutter	kommt	**am Sonntag**. Das geht nicht.	
■	Wann	muss	ich zu Hause	sein?
◆	**Um 19 Uhr**	musst	du zu Hause	sein.
	Du	musst	**um 19 Uhr** zu Hause	sein.

19 Angaben im Satz – wie oft?: *jeden Tag, manchmal, nie*
E 11

Ich	kaufe	**jeden Tag**	Milch.
Jeden Tag	kaufe	ich	Milch.
Ich	kaufe	**manchmal**	Fisch.
Manchmal	kaufe	ich	Fisch.

Fleisch kaufe ich **nie**! Ich bin Vegetarier.

20 Der Satzrahmen

E 9 **1 Das Perfekt im Satz**

		Position 2		Satzende
Aussage	Wir	haben	eine Radtour	gemacht.
	Wir	sind	nach Österreich	gefahren.
mit Zeitangabe	Im Sommer	haben	wir eine Radtour	gemacht.
	Wir	sind	drei Wochen	geblieben.
Frage	Habt	ihr	eine Radtour	gemacht?
	Seid	ihr	nach Österreich	gefahren?
	Wohin	seid	ihr	gefahren?
	Wie lange	seid	ihr	geblieben?

E 3, 7, 8, 11

2 Modalverben im Satz: *wollen, müssen, dürfen, können*

Aussage	Wir	wollen	eine Radtour	machen.
	Ich	darf	kein Fleisch	essen.
	Ich	muss	um acht zu Hause	sein.
	Ich	kann	am Samstag nicht	kommen.
Satzfrage	Wollt	ihr	eine Radtour	machen?
	Darfst	du	Fisch	essen?
	Müssen	Sie	schon	gehen?
	Können	Sie	eine E-Mail	schreiben?
Wortfrage	Wohin	wollt	ihr	fahren?
	Was	darfst	du	essen?
	Wann	musst	du	gehen?
	Wann	kannst	du	kommen?

21 *Es* im Satz

E 11

Es regnet.
Es ist kalt.

- ■ Gehen wir Samstag aus? ◆ Am Samstag geht **es** nicht.
- ■ Wie geht's (Wie geht **es**?) ◆ Danke, **es** geht.
- ■ Wir waren in den Ferien auf Mallorca. ◆ Und wie war **es**?

22 Wörter verbinden Sätze: *zuerst, dann, danach, und*

E 8

Zuerst waren wir in der Stadt. **Dann** waren wir in der Fußgängerzone. **Danach** haben wir ein Eis gegessen. **Und** dann waren wir im Kino.

■ Wo geht es zum Schlosspark?
◆ **Zuerst** gehen Sie geradeaus bis zur Ampel. **Dann** die erste Straße links, **danach** sehen Sie schon das Schloss. **Und** hinter dem Schloss ist der Park.

23 Artikelwörter im Akkusativ: Possessivartikel, *(k)ein-*

E 7

Nominativ			*der*		*das*		*die*
ich		mein		mein		meine	
du		dein		dein		deine	
er/es		sein		sein		seine	
sie	Das ist	ihr	Computer	ihr	Auto	ihre	Uhr.
wir		unser		unser		unsere	
ihr		euer		euer		eure	
sie/Sie		ich/Ihr		ihr/Ihr		ihre/Ihre	
	Das ist	(k)ein	Computer	(k)ein	Auto	(k)eine	Uhr.

Akkusativ			*den*		*das*		*die*
ich		mein**en**		mein		meine	
du		dein**en**		dein		deine	
er/es		sein**en**		sein		seine	
sie	Ich suche	ihr**en**	Computer	ihr	Auto	ihre	Uhr.
wir		unser**en**		unser		unsere	
ihr		eur**en**		euer		eure	
sie/Sie		ihr**en**/Ihr**en**		ihr/Ihr		ihre/Ihre	
	Ich habe	(k)ein**en**	Computer	(k)ein	Auto	(k)eine	Uhr.

24 Demonstrativa: *dies-*

E 11

Singular			*der*		*das*		*die*
Nominativ	Wie ist	dies**er**	Computer	dies**es**	Auto	diese	Uhr?
Akkusativ	Ich mag	dies**en**	Computer	dies**es**	Auto	diese	Uhr.

Plural			
Nominativ	Wie sind	**diese**	Computer/Autos/Uhren?
Akkusativ	Ich suche	**diese**	Computer/Autos/Uhren.

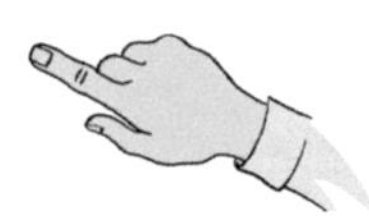

25 Personalpronomen im Akkusativ

E 12

Nominativ	Akkusativ
ich	**mich**
du	**dich**
er/es/sie	**ihn/es/sie**
wir	**uns**
ihr	**euch**
sie/Sie	**sie/Sie**

■ Kennst du Arnold Schwarzenegger?
◆ Ja, ich habe **ihn** einmal in Graz getroffen.

Hallo Petra, hast du einen neuen Freund?
Ich habe **euch** gestern in der Stadt gesehen!

26 Wortbildung: Nomen + *-in, -ung*

E 7

1 Nomen + *-in*

der Lehrer — die Lehrer**in**
der Taxifahrer — die Taxifahrer**in**

2 Nomen + *-ung*

die Wohn**ung**	(wohnen)	**Regel** Nomen + ung = Artikel **die**
die Ordn**ung**	(ordnen)	
die Orientier**ung**	(sich orientieren)	
die Entschuldig**ung**	(sich entschuldigen)	

27 Adjektive – Komparation: *gut, gern, viel*

E 10

gut	→	*besser*	→	*am besten*
gern	→	*lieber*	→	*am liebsten*
viel	→	*mehr*	→	*am meisten*

28 Adjektive im Akkusativ – unbestimmter Artikel

E 11

	Wer ist das?
	Sein Mantel ist rot.
den	Er trägt **einen** rot**en** Mantel.
	Sein Hemd ist weiß.
das	Er trägt ein weiß**es** Hemd.
	Seine Nase ist groß.
die	Er hat **eine** groß**e** Nase.
	Seine Schuhe sind schwarz.
Plural	Er trägt schwarz**e** Schuhe.
	Das ist der Nikolaus!

29 Präpositionen *in, durch, über* + Akkusativ

E 8

Wohin gehen die Touristen?

	Touristen gehen	**ins** Museum. (**ins = in das**)	**durch** das Tor.	**über** die Brücke.
der		**in den** Zoo.	**durch den** Park.	**über den** Markt.
das	Wir gehen	**ins** Museum.	**durch das** Tor.	**über das** Gelände.
die		**in die** Oper.	**durch die** Stadt.	**über die** Brücke.

30 Präpositionen *zu, an ... vorbei* + Dativ

E 8

	Die Touristen gehen	**zum** Museum. (**zum = zu dem**)	**zur** Universität. (**zur = zu der**)	**am** Stadttor vorbei. (**am = an dem**)
der		**zum** Bahnhof.	**am** Bahnhof.	
das	Wir gehen	**zum** Stadttor.	**am** Stadttor vorbei.	
die		**zur** Brücke.	**an der** Brücke vorbei.	

31 Modalverben *müssen, wollen, können, möchten, mögen*

E 3, E 7, E8, E 11

	müssen	**wollen**	**dürfen**	**können**	**möchten**	**mögen**
ich	**muss**	**will**	**darf**	**kann**	möchte	**mag**
du	**musst**	**willst**	**darfst**	**kannst**	möchtest	**magst**
er/es/sie	**muss**	**will**	**darf**	**kann**	möchte	**mag**
wir	müssen	wollen	dürfen	können	möchten	mögen
ihr	müsst	wollt	dürft	könnt	möchtet	mögt
sie/Sie	müssen	wollen	dürfen	können	möchten	mögen

32 Imperativ

E 12

Nimm keine Tabletten! **Geh** zum Arzt! **Kommen Sie** bitte am Montag um neun in die Praxis!

Präsens	**Imperativ du-Form**	Präsens	**Imperativ ihr-Form**	Präsens	**Imperativ Sie-Form**
du gehst	**geh~~st~~**	ihr geht	**geht**	Sie gehen	**gehen Sie**
du nimmst	**nimm~~st~~**	ihr nehmt	**nehmt**	Sie nehmen	**nehmen Sie**

33 Perfekt: regelmäßige und unregelmäßige Verben

E 9

1 Perfekt – Partizip der regelmäßigen Verben

Wir **haben** eine Radtour **gemacht**. Wir **haben** Wien an**ge**schau**t**. Wir **haben** Freunde besuch**t**. Wir **sind** in den Bergen **ge**wander**t** und **haben** viel fotografier**t**.

ge...(e)t	**...ge...t**	**...(e)t**	...ieren → **...t**
gemacht	eingekauft	besucht	fotografiert
gespielt	angeschaut	erreicht	probiert
gezeltet	abgeholt	übernachtet	telefoniert

2 Perfekt – Partizip der unregelmäßigen Verben

Der Urlaub **hat begonnen**. Wir **sind** nach Italien **geflogen**. Ich **habe** meine Freundin **angerufen**. Die Kinder **haben** Ansichtskarten **geschrieben**. Wir **sind** in Rom **gewesen**.

ge...en	**...ge...en**	**...en**
geflogen	aufgestanden	verloren
geschrieben	angerufen	geboren
gekommen	weitergefahren	begonnen

Minimemo

Die meisten Verben bilden das Perfekt mit *haben*.
Lernen Sie das Perfekt mit *sein*:
fahren – ist gefahren, laufen – ist gelaufen, fliegen – ist geflogen, bleiben – ist geblieben, passieren – ist passiert, sein – ist gewesen

Phonetik auf einen Blick

Die deutschen Vokale

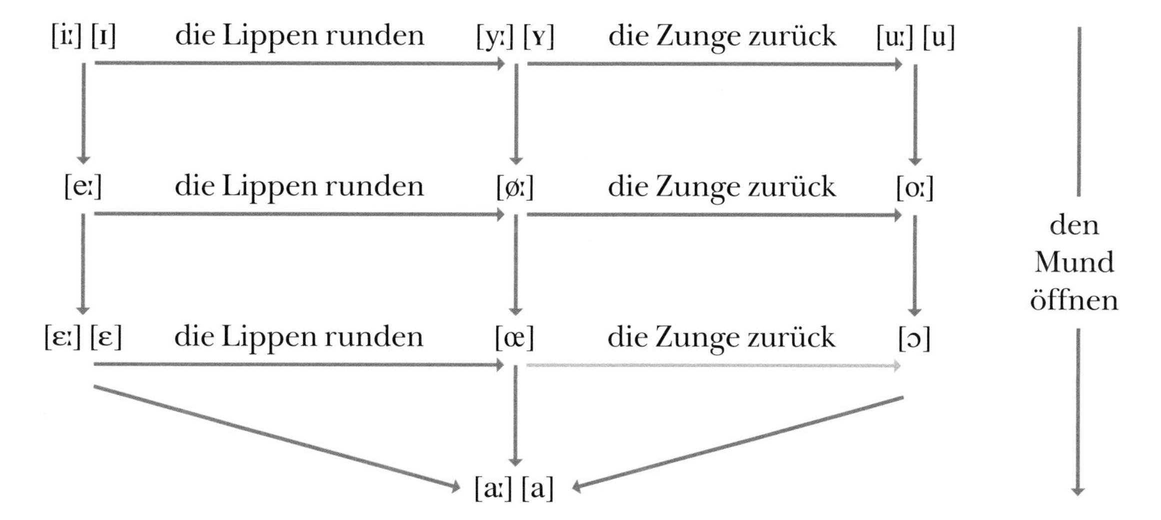

Beispiele für lange und kurze Vokale

[aː – a] gebadet – gemacht; [eː – ɛ] geregnet – gezeltet; [iː – ɪ] gespielt – besichtigt

Ich habe eine Radtour gemacht. Du hast dich an der Ostsee erholt. Er hat am Meer gezeltet.
Wir haben Ulm besucht. Sie haben Wien besichtigt.

Das lange [eː]

[eː]: nehmen, geben, leben, wenig, der Tee, der See

Die Endungen -e, -en, -el, -er

Ich habe heute keine Sahnetorte. Am liebsten möchten wir einen Kuchen essen.
Äpfel und Kartoffeln sind Lebensmittel. Eier esse ich lieber, aber Eier sind teuer.

Beispiele für nicht-runde und runde Vokale

[iː – yː] vier – für, spielen – spülen, das Tier – die Tür, Kiel – kühl

[ɪ – ʏ] die Kiste – die Küste, das Kissen – küssen, die Brillen – brüllen

[eː – øː] lesen – lösen, er – das Öhr, die Meere – die Möhre

[ɛ – œ] kennen – können, der Wärter – die Wörter

Beispiele für Umlaut oder nicht Umlaut

[yː – uː] die Brüder – der Bruder, spülen – spulen

[ʏ – ʊ] drücken – drucken, nützen – nutzen

[øː – oː] schön – schon, die Größe – große, die Höhe – hohe

Drei lange Vokale nebeneinander

[iː – yː – uː] die Ziege – die Züge – im Zuge, das Tier – die Tür – die Tour, vier – für – ich fuhr, spielen – spülen – spulen

Schreibung und Aussprache [p, b, t, d, k, g]

[p] kann man schreiben: p wie in *das Papier*
pp wie in *die Suppe*
-b am Wort- oder Silbenende wie in *halb vier*

[b] kann man schreiben: b wie in *ein bisschen*

[t] kann man schreiben: t wie in *die Tasse*
tt wie in *das Bett*
th wie in *das Theater*
-dt wie in *die Stadt*
-d am Wort- oder Silbenende wie in *das Geld*

[d] kann man schreiben: d wie in *das Datum*

[k] kann man schreiben: k wie in *können*
ck wie in *der Zucker*
-g am Wort- oder Silbenende wie in *der Tag*

[g] kann man schreiben: g wie in *gern*

Schreibung und Aussprache [f] und [v]

[f] kann man schreiben: f wie in *fahren*
ff wie in *der Löffel*
v wie in *der Vater*
ph wie in *die Phonetik*

[v] kann man schreiben: w wie in *wer*
v wie in *die Universität*

Schreibung und Aussprache der Nasale [n, ŋ]

[n] kann man schreiben: n wie in *nein*
nn wie in *können*

[ŋ] kann man schreiben: ng wie in *der Junge*
n(k) wie in *die Bank*

Aussprache des Konsonanten r

[r] muss man sprechen: [r] wie in *richtig* für r am Silbenanfang
[ɐ̯] wie in *der Berg* für r am Silbenende (+ Konsonant/en)
[ɐ] wie in *besser* für -er am Silbenende

Alphabetische Wörterliste

Die alphabetische Wörterliste enthält den Wortschatz von Start bis Station 3 des Kursbuchs. Zahlen, grammatische Begriffe sowie Namen von Personen, Städten und Ländern sind in der Liste nicht enthalten.

Wörter, die nicht zum Zertifikatswortschatz gehören, sind *kursiv* gedruckt. Sie brauchen Sie nicht unbedingt lernen.

Die Zahlen geben an, wo die Wörter zum ersten Mal vorkommen (z. B. 3/1.3 bedeutet Einheit 3, Block 1, Übung 3 oder Ü 6/1 bedeutet Übungen zur Einheit 6, Übung 1).

Ein • oder ein – unter dem Wort zeigt den Wortakzent:
ạ = kurzer Vokal
a̲ = langer Vokal

Nach den Nomen finden Sie immer den Artikel und die Pluralform:

" = Umlaut im Plural
* = es gibt dieses Wort nur im Singular
, = es gibt auch keinen Artikel
Pl. = es gibt dieses Wort nur im Plural

Abkürzungen:
Abk. = Abkürzung
Kurzf. = Kurzform
etw. = etwas
jdn = jemanden
jdm = jemandem
Akk. = Akkusativ
Dat. = Dativ

A

A̲bend, der, -e 5/4.1
A̲bendessen, das, - 5/1.2
a̲bends 5/2.1
A̲benteuer, *das, -* Stat. 3/4.5
a̲ber 4/1.2
ạbfahren, ạbgefahren Ü 8/1a
Ạbfahrt, die, -en 8/1.3
ạbhängen von (+ *Dat.*), ạbgehangen 11/5.1
ạbholen 7/4.2
Ạbkürzung, die, -en Start 3.4
ạblehnen 5/5.1b
ạbsagen 5/6.4b
Abte̲ilung, die, -en 6/2.5
ạbwechselnd 12/3.1a
Ạch! 3/2.1
ach so̲ 5/2.3
ạchten auf (+ *Akk.*) 3/1.5
Aerobic-Kurs, *der, -e* 7/3.2
Ahạ! 3/1.3
A̲hnung, die, -en 2/1
Airbus, *der, -se* Start 1.1
Airport, *der, -s* Start 1.1
akade̲misch 3/5.1
Aktivitä̲t, die, -en 11/5.1
Akzẹnt, der, -e 1/2.7
Ạldi 6/1
Ạlkohol, der, -e (Alkoho̲lika) 12/2.3
Alkoho̲lfreies, **,** 1/4.3
ạlle 1/3.6
alle̲in 7/3.1
ạllerdịngs 9/5.1
ạlles Ü 8/2
Ạllgeme̲inmedizin, *die, ** 5/2.5
Ạlltag, *der, ** Stat. 3/2.1a
Alphabe̲t, das, -e Start
ạlso 1/1.1d
ạlt, ạlter, am ạltesten Start 4.1
Ạltbauwohnung, *die, -en* 4/1
Ạlter, das, - 10/3.1a
ạltmodisch 11/2.5
Ạltstadt, die, "-e 9/1.2
ambulạnt Stat. 3/1.3
Ạmpel, die, -n 8/2.5
Ạmpelkreuzung, *die, -en* 8/2.7
Ạmt, das, "-er 5/2.6
ạn Start 4.1
Ạnanas, die, -se 10/4.3
ạnbraten, *ạngebraten* 10/5.1
ạnderer, ạnderes, ạndere Start
Ạnfang *(am), der, "-e* Stat. 1/1.3
ạnfangen, ạngefangen 5/6.3
ạngeben, *ạngegeben* 3
Ạngebot, das, -e 10/1.2
ạnhaben 11/1.2
Animateur, *der, -e* 7/3.2
ạnkommen, ạngekommen Ü 9/11
ạnkreuzen 1/3.5
Ạnkunft, die, "-e 8/1.3
Ạnmeldung, die, -en 12/2.2
ạnprobieren 11/4.1b
Ạnruf, der, -e 5/3.2b
Ạnrufbeantworter, der, - 5/2.5
ạnrufen, ạngerufen 5
ạnschauen 9/2.2
ạnschreiben, ạngeschrieben 2/1
ạnsehen, ạngesehen 2/4.1
Ạntwort, die, -en Start 2.2
ạntworten 2/6.1
Ạnweisung, die, -en 12
ạnziehen (sich), ạngezogen 11/1.1a
Ạnzug, der, "-e 11/1.1a
AOK̲ *(Allgemeine Ortskrankenkasse)* 5/3.1b
Ạpfel, der, " 10/1.1
Ạpfelkuchen, *der, -* 10/4.3
Apothe̲ke, die, -n 12/2.2b
Apothe̲ker/in, *der/die, -/-nen* Stat. 3/2.1b
Appara̲t, *der, -e* Stat. 3/1.3
Aprịl 9/4.1
Ạrbeit, die, -en 2/5.1
ạrbeiten (als) 1/2.8
Ạrbeitgeber, der, - 12/2.4
Ạrbeitnehmer/in, der/die, -/-nen 12/2.2b
Ạrbeitsagentur, *die, -en* 7/3.4
Ạrbeitsanweisung, *die, -en* 2/6.2

arbeitslos 7/3.4
Arbeitslose, der/die, -n 7/3.4
Arbeitslosigkeit, die, * 7/3.4
Arbeitsmarkt, *der, "-e* 7/3.4
Arbeitsplatz, der, "-e Ü 7/4
Arbeitszeit, die, -en 7/3.1
Arbeitszimmer, *das, -* 4/4.4a
Architektur, *die, -en* 8/4.1
Arm, der, -e 12/1.1a
Arme, *der/die, -en* 4/7.1
Ärmel, *der, -* 11/4.1b
Artikel (Zeitungs-), der, - 10/3.1
Arzt/Ärztin, der/die, "-e/-nen 1/4.2
Arzthelfer/in, *der/die, -/-nen* Stat. 2/2.1a
Arztkosten, *Pl.* 12/2.2b
Ärztehaus, *das, "-er* Stat. 2/3.1
Assoziation, *die, -en* 11/5.6
Atmosphäre, *die, -n* Start 4.1
Attraktion, *die, -en* 9/5.1
auch Start 2.5
auf Start
auf dem Land 4/1.1
Auf Wiederhören! 5/3.1b
Auf Wiedersehen! 1/4.3
Aufenthaltsgenehmigung, die, -en 5/2.6
Aufgabe, die, -en Start 2.7
aufstehen, aufgestanden 5
Auge, das, -n 12/1.3
August, der, * 9/1.2
aus Start 1.4
aus (sein) 12/4.1
Ausbildung, *die, -en* Stat. 3/1.3
ausdenken *(sich etw.)* 2/2.3
ausfallen, ausgefallen Ü 11/12
ausgehen, ausgegangen 5/2.1
Auskunft, die, * Ü1/7
Ausland, das, * Start 4.5
Auslandsgermanistik, *die, ** Stat. 1/4.2
Ausländer, der, - 5/2.6
Ausländeramt, das, "-er 5/2.6
ausprobieren 4/6.1
Ausrede, *die, -n* 5/5.3
ausruhen (sich) 12/2.4
Aussage, *die, -n* 6/3.2
aussehen, ausgesehen 11/1.1a
Aussprache, die, -n Ü 1
Ausstellung, *die, -en* Ü 8/11
auswählen Start 4.2
Auto, das, -s Start 3.4
Autobahn, die, -en 5/3.2b
autogene Training, *das, ** 12/3.1a
Automechaniker/in, der/die, -/-nen 7/1.1
Autoschild, *das, -er* Stat. 1/2.4
Autoschlüssel, *der, -* 6/3.4
Autourlauber, *der, -* 9/5.1
Azubi, *der/die, -s* Stat. 2/1.3a

B

backen, gebacken 10/5.1
Bäcker/in, der/die, -/-nen 7/1.1
Backofen, der, "-en 10/5.1
Bad (*Kurzf. für* Badezimmer, -), das, "-er 4/2.2b
baden 4/2.1
Badewanne, die, -n 4/6.1
Bahn, die, -en 5/7.2b
Bahnhof, der, "-e 6/1
bald 8/4.1
Balkon, der, -e 4/2.2b
Ball, der, "-e 9/3.2
Banane, die, -n 10/1.1
Band, *der, "-e* Stat. 3/5
Bank, die, -en Start 4.5
Bankangestellte, der/die, -n 7/1.1
Bar, die, -s Ü 3/7
Basis, *die, Pl. Basen* Start 4.5
Bauch, der, "-e 12/1.1a
bauen 4/5
Bauernhaus, *das, "-er* 4/1
Baukasten, *der, "-* 12/4.4
Baum, der, "-e 2/4.3
bayrisch 3/3.4
beachten 9/4.1
beantworten 5/7.2a
Becher, der, - 10/5.1
Bedeutung, die, -en 11/5.6
befragen 10/3.1a
beginnen, begonnen 1
Begriff, *der, -e* Stat.1/3.1
begrüßen (jdn) Start
Begrüßung, *die, -en* Start 2.9
bei Start 3.7
beide 2/6.2
Bein, das, -e 12/1.1a
Beispiel, das, -e 3/5.3
Bekannte, *der/die, -n/-n* Stat. 1/2.1
bekommen, bekommen 4/7.1
beliebt (sein) 8/1.2
benennen, *benannt* 2/1.4
beobachten Stat. 3/1.3
bequem 11/4.3
beraten, beraten 7/3.1
bereitmachen *(sich)* 9/4.3
Berg, der, -e 9/1.2
Bergführer/in, *der/die, -/-nen* Stat. 3/4.5
Bergkäse, *der, -* 10/1.1
berichten Start 2.4
Berliner, *der, -* 8/4.1
Beruf, der, -e 5/3.2
beruflich (etw. beruflich machen) 7/1
Berufsbezeichnung, *die, -en* 7/2.1
Berufstätige, *der/die, -n* 7/5.4
berühmt 6/5.1
beschreiben, beschrieben 3/4.2
Beschreibung, die, -en 8/2.5
besichtigen 8/1.2
Besichtigung, die, -en 9/1.2
besonders 4
Besprechung, die, -en Stat. 2/1.1a
besser als 5/7.1
bestellen 1
Bestellung, die, -en Ü 10/7
bestimmte 4/4.3b
bestreuen *(mit + Dat.)* 10/5.1
Besuch, der, -e 5/5.1b
besuchen 6/5.1
Besucher/in, *der/die, -/-nen* 6/5.1
Besucherkarte, *die, -n* Stat. 3/4.4
betonen Start 3.8
Betonung, *die, -en* 4/5.2
betreuen, *betreut* Stat. 2/1.1a

Betrieb, *der, -e* Stat. 3/1.3
Bett, das, -en 4/8.1
Beutel, der, - 10/1.2
Bewegung, *die, -en* 12/3.1a
bewölkt 11/5.1
bezahlen 1
Bibliothek, *die, -en* Stat. 1/1.3
Bier, das, -e 10/4.1
Bild, das, -er Start 1.1
bilden 9/2.5a
bilingual 3/5.1
billig 4/2.2b
Bingo, *das, ** 1/3.6
Bioei, *das, -er* 10/3.5
Biografie, *die, -n* 2/5
Biologie, *die, ** 2/5.1
bis 1/3.4
Bis dann! 5/4.2
Bis morgen! 4/7.1
bitte 1/1.1d
Bitte, die, -n 2/6.2
bitten (um etw.), gebeten 5/5.1b
Blatt, *"-er* Stat. 2/2.5a
blau 11/1.1a
Blaukraut, *das, ** Stat. 2/4.1g
bleiben, geblieben 9/3.5b
Bleistift, der, -e 2/1.4
Blick, *der, -e* 9/2.2
blond Ü 12/8
Bluse, die, -n 11/1.1a
Bodybuilder/in, *der/die, -/-nen* 12/1.1a
Bodybuilding, *das, ** 12/1.1a
Body Lotion, *die, -s* Stat. 3/2.1b
Botschaft, die, -en 8/1.3
Bratwurst, *die, "-e* 10/4.3
brauchen 4/7.1
braun 11/1.1a
Brautkleid, *das, -er* Stat. 2/4.1g
breit 4/7.1
Brief, der, -e 12/4.3
Brille, die, -n 6/3.4
bringen, gebracht 7/1.4
Brot, das, -e 10/1.2
Brotzeit, *die, ** Stat. 3/4.6
Brötchen, das, - 10/2.1
Brücke, die, -n 8/2.5
Bruder, der, "- 7/5.2
Buch, das, "-er 2/3.1
buchen Stat. 2/1.1a
Bücherregal, das, -e 4/2.2b
Buchhandlung, die, -en 6/1
Buchmesse, *die, -n* 6/5.1
Buchstabe, *der, -n* Stat. 1/2.3
buchstabieren Start
Bummel, der, - 9/2.2
bummeln 6/5.1
Bundeskanzler, *der, -* 8/1.1
bunt 11/2.1
Burg, die, -en 9/2.2
Büro, das, -s Start 1.1
Bürostuhl, *der, "-e* 4/5.2
Bus, der, -se 6/1.4
Busbahnhof, der, "-e 8/1.3
Busplan, *der, "-e* 8/1.2
Butter, die, * 10/1.2

C

ca. *(Abk.: circa)* Stat. 1/4.3
Café, das, -s Start 4.1
Cafeteria, *die, -s (auch Cafeterien)* Start 1.1
Call-Center, *das, -* 7/3.1
Cappuccino, *der, -* 1/4.3
Cashmere, *der, ** Ü 11/6
CD, die, -s 4/3.3
CD-Player, der, - 2/1.4
CD-ROM, die, -s 6/3.3
Chance, die, -n 7/3.2
Chaos, *das, ** 4/2.2b
chaotisch 4/4.4a
Chef/in, der/die, s/-nen 6/2. 1
Chefarzt/ärztin, *der/die, "-e/-nen* Ü 7/4
Chemie, *die, ** 2/5.1
Chinesisch, das, * Start 4.1
Chips, *Pl.* 10/1.2
circa *(ca.)* Stat. 2/4.2
Club, *der, -s* 7/3.2
Cola, *die od. das, -s (Kurzf. von Coca-Cola)* 1/4.3
Collage, *die, -n* Start 4.4
Computer, der, - Start 1.1
Computerprogramm, das, -e 7/2.2
cool 8/4.2a
Creme, *die, -s* Stat. 3/2.1b
Currywurst, *die, "-e* 10/3.1a

D

da 5/3.1b
da drüben Ü 12/8
dagegen 12/3.1a
danach 8/2.5
daneben 4/4.4a
Dänisch, *das, ** 3/4.2
danke 1/4.3
dann Start 4.1
daran denken, gedacht 12/3.1a
darum 11/5.1
Das ist/sind ... 1/1.1d
Das macht ... 1/4.3
dazu (geben) 10/5.1
denken, gedacht 5/7.2b
denn 3/1.4
der, das, die Start 1.2
Dessert, *das, -s* Ü 10/5
deutlich 11/5.4
Deutsch, das, * Start
Deutsche, der/die, -n 5/7.2b
Deutschkurs, der, -e 1/1.1d
Deutschlehrer/in, der/die, -/-nen Start 2.1
Dezember, der, * Ü 6/9
Diagnose, *die, -n* Stat. 2/1.3a
Dialog, der, -e Start 2.1
Dialoggrafik, *die, -en* 1/4.5
dichten 12/4.2
Dichter/in, *der/die, -/-nen* 6/5.1
Dienstag, der, -e 5/1.1
Ding, das, -e 7/2.2
dirigieren 6/5.1
Disko, die, -s 5/4.3
Diskussion, *die, -en* Stat. 2/1.3a
diskutieren 10/3.6b
doch 4/7.1
Doktor/in, *der/die, -en/-nen* 12/2.3
Dokumentation, *die, -en* Stat. 1/3.5
Dom, *der, -e* 8/1.3
Döner (Kebab), *der, -* 10/3.1a
Donnerstag, der, -e 5/1.1
dort Start 4.5
Dose, die, -n 10/1.2
dran sein 1/3.7a

draußen bleiben, geblieben 2/4.4
dreimal 12/2.4
drin (sein) 10/4.3
drucken Stat. 3/3.4
Drucker, der, - 6/3.3
drücken Stat. 3/3.4
du 1/1.1d
dunkel 4/2.2b
dunkelblau 11/2.1
durch 8
durchstreichen, durchgestrichen 1/3.6
dürfen, gedurft 10/2.3
duschen 12/3.1a
Dynamik, *die,* * Start 4.5

E

Echo, *das, -s* 5/2.3
egal (sein) 11/4.1b
Ei, das, -er 10/1.1
eigentlich 11/4.1b
Eigentümer, *der,* - 4/8.1
ein bisschen Start 4.1
ein, ein, eine Start 2.7
einfach 5/6.2
Einfamilienhaus, *das, "-er* 4/1
Einkauf, *der, "-e* 10/2.2
einkaufen 5/6.3
Einkaufsbummel, *der,* - 11/4
Einkaufswagen, *der,* - 10/2.2
Einkaufszettel, *der,* - 10/2.2
einladen, eingeladen 6/5.1
einpacken 7/5.3
einreiben, *eingerieben* 12/2.4
einsteigen, *eingestiegen* Stat. 2/5.2
Einstellen, *das* 4/8.1
eintragen, *eingetragen* 6/2.7
Einwohner/in, der/die, -/-nen Start 4.5
Einwohnermeldeamt, das, "-er 5/2.6
Eis, das, * 2/4.4
Eistee, *der, -s* 1/1.1d
elegant 11/1.1a
Elektriker/in, der/die, -/-nen Ü 7/10
Elektronikingenieur/in, *der/die, -e/-nen* Start 4.1

E-Mail, die, -s 4/7.1
Emotion, *die, -en* 12/4.5
Empfang, der, * 6/2.1
Empfehlung, *die, -en* 12
Ende, das, -n 5/2.4
Endspurt, *der, -s* Stat. 3/5
Endung, die, -en 7/2.1
Energie, die, -n 12/3.1a
Englisch, das, * Start 4.1
Ensemble, *das, -s* Start 4.1
entgegen 9/4.3
entlang 8/2.1
entscheiden , entschieden 9/5.1
entschuldigen (sich für etw.) 5
Entschuldigung! 1/1.1d
Entspannung, *die,* * 12/1.1a
entwickeln Stat. 3/2.1b
Erdbeere, die, -n 10/1.1
Erdgeschoss, das, -e 6/2
erfinden, *erfunden* Stat. 3/2.1b
ergänzen Start 2.7
Ergebnis, das, -se 10/3.1a
erholen (sich) 9/1.2
Erkältung, die, -en 12/2.3
erklären 2/6.2
erklären *(etwas zu + Dat.)* 10/3.1a
erleben 9/4.3
erledigen Stat. 2/2.1a
Ernährung, *die,* * 12/3.1a
erreichen 9/2.2
erst 5/7.2b
erzählen 5/2.3
es 5/1.1
Espresso, *der, -s (auch Espressi)* Start 1.1
essen, gegessen 4/2.1
Essenszeit, *die, -en* 10/5.1
Esstisch, *der, -e* 4/5.1b
Esszimmer, das, - 4/8.1
Etage, die, -n 6/2
Etappe, *die, -n* 9/2.2
etwa Ü 8/2
etwas 1
etwas (= ein bisschen) 3/4.5
Euro, der, -[s] Start 1.1
Europa 3/1
Europäer/in, der/die, -/-nen 5/7.2b
Exkursion, *die, -en* 8/1.2

Exkursionsprogramm, *das, -e* 8/1.3
exotisch Ü 9/9
Export, *der, -e* Stat. 1/4.1

F

Fabrik, die, -en 7/3.4
fahren, gefahren 3/5.1
Fahrplan, der, "-e 5/7.2b
Fahrrad, das, "-er 2/4.4
Fahrt, die, -en 8/1.2
fallen, gefallen 9/3.2
falsch Ü 9/10
Familie, die, -n Start 4.1
Familienname, der, -n Start 3.7
Fanta, *die,* * 1/4.3
fantastisch Start 4.1
Farbe, die, -n 2/2.3
fast 5/7.2b
Fastfood, *das,* * 10/3.1a
Favorit, *der, -en* Start 3.11
Faxnummer, *die, -n* Ü 1/7
Februar, der, * 9/4.1
Fehler, der, - 1/3.7a
feiern 8/4.2a
Feiertag, der, -e Ü 6/10
Feld, das, -er 6/2.7
Felsen, *der,* - 12/1.1a
Fenster, das, - 2/4.3
Ferien, *Pl.* 7/4.2
fernsehen, ferngesehen 7/4.2
Fernseher, der, - 2/1.4
Fernsehturm, *der, "-e* 8/1.1
fertig 1/3.7a
fest Stat. 1/1.1b
Fest, das, -e Ü 5/10
Fett, *das, -e* 10/1.2
Feuerwehr, die, -en 1/4.2
Fieber, das, * 12/2.1
Film, der, -e 2/2.3
finden (etw. gut finden), gefunden (1) Start 4.1
finden, gefunden (2) 1/4.2
Finger, der, - 12/1.1a
Finnisch, *das,* * 3/4.2
Firma, die, *Pl.:* Firmen 7/2.3a
Fisch, der, -e 10/1.1
Fitness-Studio, *das, -s* 7/3.2

Flair, das, * Start 4.5
Flämisch, das * Ü 3/11
Flasche, die, -n 10/1.2
Fleisch, das, * 10/1.2
flexibel 7/3.1
Fliege, die, -n Stat. 2/4.1
fliegen, geflogen Start 4.1
Flieger, der, - 9/4.3
Flohmarkt, der, "-e 8/1.2
Flugticket, das, -s 7/3.1
Flugzeit, die, -en 7/3.1
Flugzeug, das, -e 7/3.3
Flur, der, -e 4/2.2b
folgen 10/3.1a
Form, die, -en 2/3.1
Form, die, -en (hier: Auflaufform) 10/5.1
formal Stat. 1/2.1
Foto, das, -s 1/1.1c
fotografieren 8/1.2
Frage, die, -n Start 2.2
fragen Start 2.4
fragen nach *(+ Dat.)* Start
Französisch, das, * Start 4.1
Frau, die, -en Start 2.1
frei 1/1.1d
frei haben 5/5.1b
Freitag, der, -e 5/1.1
Freizeit, die, * 8/4.2b
fremd Stat. 1/1.1b
Fremdsprache, die , -n, 3/4.2
Fremdsprachenkenntnisse, die, Pl. Stat. 2/1.1a
freuen (sich über etw.) 11/1.1a
Freund/in, der/die, -e/-nen Start 4.1
freundlich 7/3.1
frisch 10/1.1
Frische, die, * Stat. 3/2.1b
Frisör/in, der/die, -e/-nen 5/5.1b
Frisörsalon, der, -s 7/2.2
fröhlich 12/3.1a
Frucht, die, "-e 11/5.5
früh 7/3.4
Frühling, der, -e 9/4.1
Frühstück, das, * 5/1.2
frühstücken 5/2.1
fühlen (sich) 12/2.4
führen (durch + Akk.) Stat. 3/5
führen (Telefonate) Stat. 2/1.1a
Füller, der, - 2/1.4
funktionieren 4/7.1
für Start 4.1
Fuß, der, "-e Ü 4/9
Fußball, der, "-e 2/4.4
Fußballtraining, das, -s 7/4.2
Fußgängerzone, die, -n 8/3.1

G

Galerie, die, -n 8/1.3
ganzer, ganzes, ganze 6/5.1
gar kein Stat. 1/3.1
gar nicht 11/2.5
Garten, der, " 4/1.1
Gast, der, "-e Stat. 2/1.1a
gastfreundlich 9/2.2
geben (es gibt ...), gegeben Start 4.5
geboren (sein) 6/4.4
Geburtstag, der, -e 6/4.3
Geburtstagskalender, der, - 6/4.4
Gedicht, das, -e 12/4.2
gefallen (etw. jdm), gefallen 8/4.1
Gegenstand, der, "-e 2/1.4
Gegenteil, das, -e 4/4.2
gehen (1), gegangen 5/2.1
gehen (2) (das geht [nicht]) 5/4.1
gehören (zu + *Dat.*) Start 4.1
gelb 11/2.1
Geld, das, -er 7/1.4
gemeinsam 1/4.6; **etw. gemeinsam haben** Ü 9/9
Gemüse, das, - 10/2.6b
genauso 5/7.2b
Geografie, die, * Start 4.4
geografisch 3
geradeaus 8/2.1
gern, lieber, am liebsten 3/2.1
Geschäft, das, -e 6/5.1
Geschichte, die, -n 2/2.3
Gespräch, das, -e 1
Gesprächsthema, das, Pl.: Gesprächsthemen 11/5.1
gestern 3/2.4b
gesund, gesünder, am gesündesten 12/1.1a
Gesundheit, die, * 12
Getränk, das, -e 1/2.1
getrennt 1/4.3
Gewandhaus, das, "-er 6/5.1
Gewicht, das, -e Stat. 3/4.3
Gewinner/in, der/die, -/-nen 1/3.6
Gipsbein, das, -e 12/1.1a
Gitarre, die, -n 2/5.1
Glas, das, "-er 10/3.4
glauben 5/7.2b
gleich 1/4.6
global Start 4.5
Glück, das, * 4/7.1
glücklich 12/4.3
Grad (Celsius), der, e (*aber:* 30° Grad) 10/5.1
Grafik, die, -en 3/4.2
Gramm, das, * 10/2.2
Gras, das, "-er Ü 11/12
grau 11/2.1
Grenze, die, -n 3/5.1
Griechisch, das, * 3/4.2
Grillparty, die, -s 11/5.1
groß, größer, am größten 4/1.1
Größe, die, -n 11
Großstadt, die, "-e 6/5.1
grün 11/2.1
gründen Stat. 1/4.3
Grund, der, "-e 10/3.1a
Grundwort, das, "-er 4/5.1c
Gruppe, die, -n Start 3.2
Grüß dich! 1/1.1d
Gruß, der, "-e 3/1
günstig 10/1.2
Gurke, die, -n Stat. 3/4.2
gut, besser, am besten 2/5.1
Gute Besserung! 12/2.3
Gute Fahrt! 5/3.2b
Guten Appetit! 10/5.1
Guten Tag! Start 2.1
Gymnasium, das, *Pl.:* Gymnasien 3/5.1
Gymnastik, die, * 12/3.1a

H

Haar, das, -e 7/2.2
haben, hatte Start 4.1
Hafen, der, "- Stat. 1/4.1
Hähnchen, das, - 10/1.2

halb (eins) 5/1.2
halbe, halbe, halbe 6/1
halten, *gehalten* Stat. 3/4.7
Hallo! Start 2.1
Hals, der, ''-e 12/1.4b
Halsschmerzen, *Pl.* 12/2.1
Haltestelle, die, -n 8/1.2
Hamburger, *der,* - 10/3.1a
Hand, die, ''-e 7/3.4
Handel, *der,* * 6/5.1
Handschuh, der, -e Ü 11/10
Handtasche, die, -n 6/3.4
Handy, das, -s 2/1.4
hängen, gehangen 6/3.2
hassen 7/5.4
hässlich 4/4.2
hätte gern 5/3.1b
Hauptbahnhof, der, ''-e 6/1
Hauptmahlzeit, *die, -en* 10/5.1
Hauptsache, *die, -n* Stat. 3/4.7
Hauptstadt, die, ''-e 3/3.4
Haus, das, ''-er 2/2.1
Hausarzt/-ärztin, *der/die, -e/-nen* 12/2
Hausaufgabe, die, -n 2/6.2
Haushalt, der, -e 7/3.1
Haushaltstipp, *der, -s* 10/3.4
Hausmann/Hausfrau, der/die, ''-er/-en 7/2.1
Haut, *die, ''-e* Stat. 3/2.1b
Heft, das, -e 2/1.2
Heimat, die, * Start 4.5
heiß 6/3.5
heißen, geheißen Start 1.2
heiter 11/5.3
helfen, geholfen 1/2.2
hell 4/1.1
hellgrün 11/2.1
Hemd, das, -en 11/1.1a
Herbst, der, -e 9/4.1
Herbstferien, *Pl.* 9/4.1
Herd, der, -e 4/6.1
Herde, *die, -n* 11/5.5
Herkunft, *die, ''-e* Start
Herr, der, -en Start 2.1
Herrenabteilung, *die, -en* 11/4.1b
Herz, das, -en 12/4.3
herzlich Stat. 3/4.1
heute Start 4.1
Hi! 1/1.1d
hier Start
Hilfe, die, -n 4/7.1
Himmel, der, * 11/5.5
hinter 6
Hit, der, -s 8/1.2
Hitliste, *die, -n* 10/3.1b
Hitze, die, * 11/5.2
Hobby, das, -s Start 4.1
hoch, höher, am höchsten 12/1.1a
Hochhaus, das, ''-er 4/1
hoffentlich 11/5.1
hören Start 1
Hörspiel Stat. 1/3.5
Hose, die, -n 11/1.1a
Hotel, das, -s 6/1.1
Hund, der, -e 2/4.4
Hurra! 9/2.2
husten 12/2.3
Husten, der, * 12/2.4
Hustensaft, *der, ''-e* 12/2.2b

I

ich Start 2.1
ideal 11/1.1a
Igitt! 10/3
im Start 2
immer 2/2.3
immer schneller 8/2.7
Immunsystem, *das, -e* 12/3.1a
Import, *der, -e* Stat. 1/4.1
in Start 1.2
in der Nähe Ü 8/9
in Ruhe lassen *(jdn)* 12/4.4
in sein 10/3.1a
Industrie, *die, -n* Stat. 1/4.1
Information, die, -en 3/3.4
informieren 7/3.1
inklusive Stat. 3/1.4
Insel, die, -n 9/1.2
Instrument, *das, -e* Stat. 3/1.3
interessant 2/5.1
interessieren (sich für + *Akk.*) 8/4.1
interkulturell Start 4.1
international Start
Internationalität, *die,* * Start 4.5
Internet, das, * 1/4.2
Internetrallye, *die, -s* 8/4.3
Interview, das, -s 9/3.6
Irrtum, *der, Pl. Irrtümer* 8/2.7
Italienisch, das, * 3/2.2

J

ja 1/1.1d
Jacke, die, -n 11/1.1a
Jackett, *das, -s* Ü 11/1
Jahr, das, -e Start 4.1
Januar, der, * 9/4.1
Japaner/in, der/die, -/-nen Ü 4/12
Jeans, die, - 11/1.1a
jeder, jedes, jede 3/5.1
jemand Start
jetzt Start 2.5
Job, der, -s Start 4.1
joggen Ü 5/14
Joker, *der,* - Stat. 3/5
jüdisch 8/4.2b
Jugendliche, der/die, -n 10/3.1
Juli, der, * 9/1.2
jung, jünger, am jüngsten Ü 7/10
Junge, der, -n Start 3.8
Juni, der , * 9/2.2

K

Kaffee, der, -s Start 1.1
Kalender, der, - 6/3
kalt, kälter, am kältesten 6/3.5
Kälte, die, * 11/5.2
Kamera, die, -s 8/2.8
Kantine, die, -n 6/2. 1
Kantor, *der, -en* 6/5.1
kaputt 5/5.3
Karaoke, *das, -s* Ü 1/13
Karfreitag, *der, -e* Ü 6/10
Karriere, *die, -n* Stat. 2/1.1a
Karte, die, -n 3/1.1
Karten spielen Stat. 2/4.1
Kartoffel, die, -n 10/1.1
Käse, der, - 10/1.1
kassieren Stat. 2/2.3
Kasten, der, ''- 1/2.1
Kästchen, *das,* - Stat. 3/5
Katalog, der, -e 11/4.6
kaufen 10/1.3
Kaufhaus, das, ''-er Ü 11/9

Kaufmann/Kauffrau, der/die, Pl.: Kaufleute 7/3.2
kein, kein, keine 2
Keine Ahnung! 2/1
Kellner/in, der/die, -/-nen 7/1.1
kennen, gekannt Start 1.3
kennen lernen (jdn/etw.) 1
Ketchup, der, * 10/1.2
Kilo (Kilogramm), das, -s 10/1.1
Kilokalorie, die, -n 12/1.1a
Kilometer, der, - 9/2.2
Kind, das, -er 2/5.1
Kindergarten, der, "- 7/4.2
Kinderzimmer, das, - 4/4.4a
Kino, das, -s 5/4.1
Kinobesuch, der, -e 5/5.1b
Kinofilm, der, -e 6/5.2b
Kirche, die, -n 6/5.1
Kirsche, die, -n 10/1.1
klar 1/1.1d
Klasse, die, -n Ü 5/10
klassisch 8/4.1
Kleid, das, -er 11/2.3
Kleidung, die, * 11
Kleidungsstück, das, -e 11/1.1c
klein 4/1.1
klettern 12/1.1a
klingeln Stat. 2/2.1a
klopfen 12/4.3
Kloster, das, "-er 9/2.2
km (= Kilometer), der 9/2.2
Kneipe, die, -n 12/3.5
Knie, das, - 12/1.2
kochen 4/2.1
Koffer, der, - 2/4.4
Kollege/Kollegin, der/die, -n/-nen 7/3.1
Kombination, die, -en 9/2.3
kombinierbar 11/1.1a
kombinieren 11/3.1
kommen, gekommen Start 1.4
kommentieren 4/4.4a
Kommode, die, -n 4/5.3
Kommunikation, die, * Start 4.1
Kompliment, das, -e 11/1.1a
kompliziert 5/2.6
Komponist/in, der/die, -en/-nen 6/5.1
Konferenzraum, der, "-e 6/2.1
Konjugation, die, -en 5/6.2
können, gekonnt 2/1
Kontakt, der, -e 3/5
Kontrolle, die, -n Stat. 3/1.1
kontrollieren 1/3.4
Konversation, die, -en 3/4.5
*Konzentration, die, ** 12/1.1a
Konzert, das, -e Start 4.1
Kooperation, die, -en 3/5.1
kooperieren 3/5.1
Kopf, der, "-e 2/2.3
Kopfschmerzen, *Pl.* 12/2.2b
Körper, der, - 12
Körperteil, der, -e 12
korrigieren Stat. 2/5.1
Kosmetik, die, -a Stat. 3/2.1b
kosten 4/1.1
Kosten, Pl. 12/2.2b
krank Ü 12/6
krank schreiben (jdn), krank geschrieben 12/2.3
Krankenhaus, das, "-er Ü 6/1
Krankenkasse, die, -n 5/3.1b
Krankenpfleger/in, der/die, -/-nen 7/2.1
Krankenschwester, die, -n 7/1.1
Krankenversicherung, die, -en 12/2.2b
Krankenversicherungskarte, die, -n 12/2.2a
Krankheit, die, -en 12/2.2b
Krankschreibung, die, -en 12/2.4
Krawatte, die, -n 11/1.1a
Kreide, die, -n 2/1.4
Kreuzung, die, -en 8/2.5
Küche, die, -n 4/2.1
Kuchen, der, - 10/4.3
Küchenduell, das, -e Sta. 1/3.5
Küchenschrank, der, "-e 4/5.1b
Küchentisch, der, -e 4/5.1a
kühl Stat. 3/3.6
Kühlschrank, der, "-e 4/6.1
Kuli, der, -s (*Kurzf. von* Kugelschreiber) 2/1.2
Kultur, die, -en 2/5.1
kulturell 3/5.1
Kunde/Kundin, der/die, -n/-nen 7/3.1
Kurs, der, -e Start 1.1
Kursbuch, das, "- er 2
Kursleiter/in, der/die, -/-nen 2/6.2
Kursraum, der, "-e 2/1.7
Kursteilnehmer/in, der/die, -/-nen 2/4.5b
kurz nach 5/1.2
kurz vor 5/1.2
kurz, kürzer, am kürzesten 4/4.2
küssen 11/5.5

L

Labor, das, -e Stat. 3/2.1b
lachen 12/4.4
Lage, die, -n 3
Lampe, die, -n 2/1.4
Land, das, "-er 1/4.6
landen 10/3.1a
Ländername, der, -n 3/1.5
*Landeskunde, die, ** 1/4.6
Landkarte, die, -n 3/2.5
lang, länger, am längsten 4/2.2b
lange Ü 12/3b
langsam 2/6.2
langweilen 12/4.5a
langweilig 9/1.4
Lärmen, das 4/8.1
lateinisch Stat. 3/2.1b
*Laub, das, ** 11/5.5
laufen, gelaufen 8/3.1
laut 1/3.7a
Lautdiktat, das, -e 9/1.5
leben Start 4.1
Leben, das, - 9/4.3
Lebensmittel, das, - 10/1.1
Leberwurst, die, "-e 10/1.2
lecker 10/4.3
legen, gelegt Ü 7/2
Lehrbuch, das, "-er Stat. 1/1.1a
Lehrer/in, der/die, -/-nen Start 2.1
leicht (1) 7/3.1
leicht (2) 11/1.1a
Leid tun (etw. jdm) 5/1.1
leider 11/4.3
leise 4/4.2

leiten 7/3.2
lernen Start
***Lernkartei**, die, -en* 4/6.1
***Lernplakat**, das, -e* 2/1.4
lesen, gelesen Start 2.5
***Letzeburgisch**, das, ** Ü 3/11
letzte, letzte, letzte Ü 9/10
Leute, *Pl.* 1/1.1a
lieb haben (jdn) 12/4.5a
Liebe, die, -n 11/5.5
Lieber/Liebe *(Anrede im Brief)* 4/7.1
lieben 2/5.1
Liebesbrief, der, -e 12/4.3
***Lieblingsberuf**, der, -e* Ü 7/10
***Lieblingsessen**, das, -* 10/3.1
Lied, das, -er 9/4.3
liegen (1) (das liegt im Südosten von) 3/2.5
liegen (2), gelegen 6/3.2
Linie, die, -n 8/1
links 4/2.2a
Liste, die, -n 2/2.2
Liter, der, - 10/2.2
***Losnummer**, die, -n* 1/3.5
Lösung, die, -en 7/2.5
***Lottozahlen**, Pl.* 1/3.5
lösen Stat. 3/3.4
***Lösungswort**, das, -er* Ü 4/10
***Löwe**, der, -n* 2/2.3
***Luft sein** (für jdn)* 12/4.4
Luft, die, - 10/3.4
lyrisch 5/6.2

M

m² (= Quadratmeter) 4/1.1
machen Start 4.3
Mädchen, das, - Start 3.8
Magen, der, "- 12/2.4
Mai, der, * 6/4.3
mal 3/2.1
***Malbuch**, das, "-er* 11/5.5
man 3/1.4
manche 8/2.7
manchmal 5/7.2b
Mann, der, "-er 2/4.2
Mannschaft, die, -en 11/3.2
Mantel, der, "- 11/1.1a
Marke, die, -n 11/4.1b
***Marketing**, das, ** 6/2. 1
markieren 1/2.7
Markt, der, "-e Ü 8/1a
Marktplatz, der, "-e Start 4.5
Marmelade, die, -n 10/5.1
***Märchen**, das, -* Stat. 1/3.5
März, der, * 6/5.1
Maschine, die, -n 7/2.2
***Material**, das, Pl.: Materialien* Stat. 1/1.1a
Maus, die, "-e (Computer) 6/3.3
Mechaniker/in, der/die, -/-nen 7/2.2
Medikament, das, -e 12/2.2b
***Medizin**, die, -en* Ü 6/1
medizinisch Stat. 3/1.3
***Medizintechnologie**, die, -n* Start 4.1
Meer, das, -e 9/1.2
mehr (als) 3/5.1
mehrere, *Pl.* 4/5.3
***Mehrsprachigkeit**, die, ** 3/4.6
mein, mein, meine Start 2.1
meinen 8/2.7
meisten, *Pl.* 3/1.5
meistens 5/7.2b
***Meister**, der, -* Stat. 2/1.3a
melden 5/2.6
***Melodie**, die, -n* 3/2.3
***Mengenangabe**, die, -n* 10/2.6a
Mensch, der, -en Start 4.1
***Menü**, das, s* 10/4.1
***Messe**, die, -n* 6/5.1
***Messegelände**, das, -* 8/3.1
***messen**, gemessen* Stat. 3/1.4
Meter, der, - Ü 11/12
mieten 8/4.1
Mietvertrag, der, "-e 5/2.6
Milch, die, * 10/1.2
***Milchkaffee**, der, -* 1/4.3
Million, die, -en 1/4.6
***Millionenstadt**, die, "-e* Stat. 1/4.1
Mineralwasser, das, - 1/4.3
***Minimetropole**, die, -n* Start 4.5
Minute, die, -n Start 4.1
mischen Ü 11/3
mit Start 2.9
Mitglied, das, -er 7/3.2
mitkommen, mitgekommen 5/6.4a
mitlesen, mitgelesen 1/1.1b
mitmachen Start 3.1
mitschreiben, mitgeschrieben 1/3.7b
Mittag, der, -e 5/5.1b
Mittagessen, das, - 5/1.2
mittags 9/2.2
Mittagspause, die, -n 5/2.1
Mitternacht, die, * 5/1.2
Mittwoch, der, -e 5/1.1
Möbel, das, - 4/5.1b
***Möbelstück**, das, -e* Stat. 1/3.3
möchten (mögen), gemocht 4/2.3
Mode, die, -n 11/1
***Model**, das, -s* Ü 11/6
***Modell**, das, -e* Stat. 2/1.3a
modern 4/4.4a
modisch 11/1.1a
mögen, gemocht Start 4.1
Möglichkeit, die, -en 4/5.3
Moment, der, -e (im Moment) 2/5.1
Monat, der, -e 9/4.1
***Monatsname**, der, -n* 9/4.1
Monitor, der, -e 6/3.3
Montag, der, -e 5/1.1
morgen 4/7.1
Morgen, der, - 5/5.1b
morgens 5/1.2
***Motor**, der, -en* Stat. 2/1.3c
müde 9/2.2
Mund, der, "-er 12/1.4b
Münze, die, -n 1/4.6
Museum, das, *Pl.:* Museen Start 4.5
Musik, die, -en Start 1.1
Musiker/in, der/die, -/-nen Start 4.1
***Musikfan**, der, -s* 6/5.1
Muskel, der, -n 12/1.1a
müssen, gemusst 2/4.4
Muttersprache ≠ Fremdsprache, die, -n 3/4.2
Mütze, die, -n Ü 11/10

N

Na klar! 9/2.4
nach Start 4.1
nach Hause 12/1.1a
nach Vereinbarung 5/5.1b
Nachbar, der, -n 3/4.1

Nachbarland, *das, ¨-er* Ü 3/11
Nachbarregion, *die, -en* 3/5.1
nachdenken *(über), nachgedacht* Stat. 2/3.4
nachfragen 2
Nachmittag, der, -e 8/2.1
nachsprechen, nachgesprochen Start 2.2
nächster, nächstes, nächste 5/3.1b
nachts 5/1.2
Name, der, -n Start
Nase, die, -n 12/1.4a
national 1/4.6
Nationalmannschaft, *die, -en* 11/3.2
Natur, *die, ** Stat. 3/4.5
natürlich 11/1.1a
neben 6
nebeneinander Stat. 3/3.5
nehmen, genommen 1/1.1d
nein 2/4.4
nennen, genannt 3/5.3
neu 4/4.2
neutral Stat. 1/2.1
nicht 2/1
Nichtraucher/in, der/die, -/nen 12/3.5
nichts Ü 9/2
nie 7/3.4
Niederländisch, *das, ** 3/4.2
niemals 11/5.5
Nivea, *die, ** Stat. 3/2.1b
noch 1/1.1d
noch einmal Start 3.9
Norden, der, * 3/2.5
nördlich von 3/2.5
normal Stat. 1/3.4
notieren Start 2.4
Notiz, die, -en 8/2.6a
November, der, - 9/4.1
Nudel, die, -n 10/4.1
Nudelauflauf, *der, ¨-e* 10/5.1
Null, die, -en 5/1.2
nummerieren 8/1.3
nur 3/3.3

O

oben 4/2.2b
Obst, das, * 10/2.6a
oder 1/1.1d
offiziell 1/4.6
Öffnungszeit, die, -en 5/2.6
oft 5/7.1
Oh je! 9/3.4
ohne 9/2.5a
Ohr, das, -en 12/1.4b
okay 3/2.1
ökonomisch 3/5.1
Oktober, der, - 9/4.1
Öl, *das, -e* Stat. 3/2.1b
online 6/2. 1
Onlinekatalog, *der, -e* 11/4.6
Oper, *die, -n* Start 1.1
Operation, *die, -en* Stat. 3/1.3
orange 11/2.1
Orangensaft, der, ¨-e 1/1.1d
Orchester, *das, -* Start 1.1
ordnen Start 3.8
Ordnungszahl, *die, -en* 6
organisieren 7/3.2
Orientierung, *die, -en* 3/2.5
Ort, der, -e 3/5.1
Osten, der, * 3/2.5
Ostermontag, *der, -e* Ü 6/10
Ostern, *,* (Osterfest, das) 9/4.1
Overheadprojektor, der, -en 2/1.4

P

Paar, das, -e Ü 2/9
packen 4/7.1
Packung, die, -en 10/1.2
Panne, die, -n 5/6.2
Papier, das, *, (-e) 2/1.4
Paprika, die/der, -s 10/1.1
Parade, *die, -n* 8/4.2b
Park, der, -s 5/4.3
parken Ü 12/5a
Parkplatz, der, ¨-e 6/2.6
Parlament, *das, -e* 8/1.2
Partner/in, der/die, -/nen Start 2.4
Partnerinterview, *das, -s* Start 2.4
Party, die, -s 5/7.2a
passen (zu + *Dat.*) Start 4.1
passen 4/2.2d
Passfoto, das, -s 5/2.6
passieren 3/5.1
Patient/in, *der/die, -en/-nen* 7/2.2
Pause, die, -n 2/6.2
Pension, *die, -en* 9/2.2
Person, die, -en Start 2.7
Personalabteilung, *die, -en* 6/2.6
Personalangabe, *die, -n* Start 2.7
Personenraten, *das, ** 3/3.3
Pfanne, die, -n 10/5.1
Pfeffer, der, * 10/5.1
Pferd, *das, -e* 11/5.5
Pfingstmontag, *der, -e* Ü 6/10
pflegen Stat. 3/1.3
Pfund, das, * (= 500 g) 10/2.2
Picknick, *das, -s* 9/2.2
Pilot/in, *der/die, -en/-nen* Start 4.1
Pizza, die, *Pl.:* Pizzen 10/3.1a
Plan, der, ¨-e 5/7.1
planen 7/3.2
Planung, die, -en 9/4
Platz nehmen, *Platz genommen* 12/2.2a
Platz, der, ¨-e 4/2.2b
plötzlich 9/3.2
Polizei, die, * 1/4.2
Polnisch, *das, ** Start 4.1
Pommes *(frites), ** 10/3.1a
populär Stat. 1/2.1
Portugiesisch, *das, ** 3/4.2
Position, *die, -en* 3/3.2a
Post, *die* Stat. 2/4.1
Postkarte, die, -n 3/1.4
Postleitzahl, die, -en 4/7.1
Praxis, die, *Pl.:* Praxen 5/3.1b
Preis, der, -e 1/4.3
preiswert 11/1.1a
prima 9/1.4
privat Ü7/6
pro 4/7.1
probieren 9/2.2
Problem, das, -e 4/7.1
Produkt, das, -e Ü 10/1
produzieren Stat. 2/1.1a
Programm, das, -e 8/1.2
Programmierer/in, *der/die, -/-nen* 7/1.1
Projekt, das, -e 3/5.1
Protokoll, *das, -e* 9/3.2

Prozent, das, -e Start 4.5
Pullover, der, - 11/1.1a
pünktlich ≠ unpünktlich 5/7.2a
Pünktlichkeit, *die,* * 5/7

Q

qm (= Quadratmeter, der, -) 4/2.2b
Qualität, *die, -en* Stat. 3/1.1
Qualitätskontrolle, *die, -n* Stat. 3/1.1
Quartal, *das, -e* 12/2.2a
Querstraße, die, -n 8/2.1
Quiz, das, - 1/4.7

R

Rad, das, "-er 2/4.4
Rad-, Wanderweg, *der, -e* 9/1.2
Radiergummi, der, -s 2/1
Radio, das, -s Ü 2/8
Radioprogramm, *das, -e* Stat. 1/3.4
Radtour, die, -en 9/2.2
Rap, *der, -s* Start 3.1
raten, geraten 1/4.7
Rathaus, *das, "-er* Stat. 1/4.3
Rätsel, *das, -* Ü 8/1a
rauchen 12/2.3
Rauchstopp, *der, -s* 12/3.5
Raum, der, "-e 4/2.2b
raus 9/4.3
Realschule, *die, -n* Ü 3/12
Rechnung, die, -en 1/4
rechts 4/2.2a
Redakteur/in, *der/die, -e/-nen* 6/2. 1
Redaktion, *die, -en* 6/2. 1
Redemittel, *das, -* Start 2.9
Redemittelkasten, *der, "-* Start 2.9
reduzieren 11/4.1b
Referat, *das, -e* Stat. 3/4.7
Reflexion, *die, -en* Stat. 3/3.7
Regal, das, -e 4/2.2b
Regel, die, -n 3/3.2b
regelmäßig ≠ *unregelmäßig* 9
Regen, der, * 9/4.3
Regierungsviertel, *das, -* 8/4.2b
Region, *die, -en* 3/5.1
regional Stat. 1/2.1
regnen (es regnet) 9/1.4
Reihe, die, -n 8/1.2
Reihenfolge, *die, -n* Ü 2/3
rein 9/4.3
Reis, der, * 10/1.2
Reise, die, -n 8
Reisebüro, *das, -s* Stat. 3/1.1
Reiseführer, *der, -* 9/2.3
Reiseziel, *das, -e* 9/1.2
Reparatur, *die, -en* Stat. 2/1.3c
reparieren 7/2.2
reservieren 7/3.1
Rest, der, -e 10/5.1
Restaurant, das, -s Start 4.1
Rezept, das, -e 10
richtig 2/3.3
Richtige *(im Lotto), Pl.* 1/3.5
Richtung, die, -en 9/2.2
Riesenrad, *das, "-er* 9/2.2
Ring, der, -e 10/1.2
Rock, der, "-e 11/1.1a
Rolle, die, -n 11/4.1b
Rollenkarte, *die, -n* 12/2.4
Rollenspiel, *das, -e* 5/5
Rollkragenpullover, *der, -* 11/2.1
rosa 11/2.1
Rose, *die, -n* 11/5.5
Rosine, *die, -n* 10/4.3
rot 11/1.1a
Route, *die, -n* 8/1.3
Rücken, der, - 4/7.1
Rückenschmerzen, *Pl.* 4/7.1
Rückfahrt, die, -en 8/4.2b
rufen, gerufen 9/3.4
Ruhe, die, * (in Ruhe lassen) Ü 8/2
ruhig 4/1.1
rund (= ungefähr/fast) 9/5.1
Russisch, das, * Start 4.1

S

Sache, die, -n 4
Saft, *der, "-e* Stat. 3/5
sagen 1/3.7b
Sahne, die, * 10/5.1
Salat, der, -e 10/1.1
Salbe, die, -n 12/2.4
Salz, das, * 10/5.1
sammeln 1/1.1a
Samstag, der,-e 5/1.1
Satz, der, "-e 4/6.1
Satzakzent, *der, -e* 3
Satzende, *das, -n* 9/2.5b
Satzfrage, *die, -n* 3
Sauberkeit, *die,* * Stat. 3/2.1b
Sauerkraut, *das,* * 10/1.2
Sauna, *die, Pl.: Saunen* 12/3.1a
S-Bahn, die, -en Ü 6/1
Schade! 8/4.2a
Schäfer, *der, -* 11/5.5
schaffen 9/2.2
Schal, der, -s Ü 11/10
Schale, die, -n 1/4.3
Schalter, der, - 5/2.3
Schatten, der, - 5/2.3
Schein, der, -e (Euro-) 1/4.6
Schere, *die, -n* Ü 7/11
Schicht, *die, -en* Stat. 3/1.3
Schichtbetrieb, *der,* * Stat. 3/1.3
schick 11/2.5
Schinken, der, - 10/4.1
schlafen, geschlafen 4/2.1
Schlafzimmer, das, - 4/5.3
schlecht 9/1.4
schließen, geschlossen Ü 9/5
schlimm 12/2.3
Schloss, das, "-er 8/1.3
schmal 9/1.2
schmecken 10/3.1a
Schmerz, der, -en 12/2.1
Schnee, der, * 11/5.1
schneiden, geschnitten 7/2.2
schneien (es schneit) 11/5.1
schnell Start 4.1
Schnupfen, der, * 12/2.4
Schokolade, die, -n 10/1.2
Schokoladentorte, *die, -n* 10/3.6b
schon 3/2.1
schön 4/2.2b
Schrank, der, "-e 4/5.1b
Schreck, der, * 9/3.2
schreiben, geschrieben 2/2.1
Schreibtisch, der, -e 4/5.1b
Schreibtischlampe, *die, -n* 4/5.1a

Schrift, *die, -en* Stat. 3/2.1b
Schuh, der, -e 7/2.2
Schuhgeschäft, das, -e 7/2.2
Schule, die, -n Start 1.1
Schüler/in, der/die, -/-nen 3/5.1
Schülerzeitung, *die, -en* 10/3.1
Schulferien, *Pl.* 9/4.1
schwach, schwächer, am schwächsten 10/2.4
Schwamm, der, "-e 2/1.4
schwarz, schwärzer, am schwärzesten 11/1.1a
Schwedisch, *das, ** 3/4.2
Schweinefleisch, das, * 10/4.3
schwer 4/7.1
Schwimmbad, das, "-er 8/3.3
schwimmen, geschwommen 5/4.1
See, der, -n 9/1.4
See, die, * 9/1.4
Segelkurs, *der, -e* Ü 9/8
sehen, gesehen Start 1
Sehenswürdigkeit, die, -en 3
sehr Ü 3/8
sein, gewesen, war 1/1.1d
sein, sein, seine Start 4.1
seit Start 4.1
Seite, die, -n 2/2.2
Sekretariat, das, -e 6/2.6
Sekretärin, die, -nen 2/5.1
Sekunde, *die, -n* Stat. 3/5
selbst 2/4.5a
Selbsttest, *der, -s* 1/2.9
Semester, das, - Start 4.1
Seminar, *das, -e* Stat. 1/1.3
senden Stat. 2/1.1a
Senior/in, *der/die, Senioren/-nen* 12/1.1a
September, der, - 9/4.1
Service, *der, ** Stat. 2/1.3a
Sessel, der, - 4/5.3
Showprogramm, *das, -e* 7/3.2
sicher 11/4.1b
signalisieren 2/1.2
Silbe, die, -n Start 3.8
Silbenende, *das, -n* 8/2.4
Sinfonie, *die, -n* 6/5.1
Situation, die, -en 12/3.5
sitzen, gesessen 7/3.1
Skaterparadies, *das, -e* Start 4.5
Ski fahren, Ski gefahren Start 4.1
Skifahren, *das, ** 12/1.1a
Skifahrer/in, *der/die, -/-nen* 12/1.1a
Skyline, *die, -s* Start 4.5
Slowakisch, *das, ** 3/4.3
Smalltalk, *der, -s* 10/4.3
so 3/1.4
so gegen 5/3.2b
Sofa, das, -s 4/5.3
Software, *die, -s* Stat. 2/2.3
sogar 10/3.1a
Sohn, der, "-e 7/4.2
Sommer, *der, -* Start 4.1
Sonne, die, -n 9/1.2
Sonnenschein, *der, ** 9/4.3
sonnig 11/5.1
Sonntag, der, -e 5/1.1
sortieren Start 4.3
Soße, die, -n 10/3.3
Soziologie, *die, ** Stat. 1/4.2
Spaghetti, die, *Pl.* 10/1.2
Spanisch, das, * Start 4.1
Spaß, der, "-e, viel Spaß 8/4.1
spät 5/1.4
spazieren gehen, spazieren gegangen 12/3.1a
Spaziergang, der, "-e 8/1.2
speichern 12/2.2b
Speise, *die, -n* 1/4.3
Speisekarte, *die, -n* Stat. 2/2.3
Spezialist/in, *der/die, -en/-nen* Stat. 3/1.1
Spezialität, *die, -en* Start 4.1
speziell 5/2.6
Spiegel, der, - 4/6.1
Spiel, das, -e Start 3.6
spielen *(1)* Start 4.1
spielen (2) 1/3.6
Spieler/in, der/die, -/-nen 11/3.3
Spielplatz, der, "-e 4/8.1
Spinat, der, * 10/3
Sport, der, (-arten) 2/5.1
Sportler/in, der/die, -/-nen 11/5.1
sportlich 8/4.1
Sportstudio, *das, -s* Stat. 1/4.5
Sprache, die, -n Start 1.2
Sprachinstitut, *das, -e* Stat. 1/1.1b
Sprachkurs, der, -e 6/1.4
Sprachschatten, *der, -* 5/2.3
Sprachschule, die, -n 1/2.8
sprechen (über etw.), gesprochen 1/1.1a
sprechen, gesprochen Start 4.1
Sprecher/in, *der/die, -/-nen* Start 1.4
Sprechstunde, die, -n 5/2.5
Sprechzeit, die, -en 5/2.5
springen, gesprungen Ü 12/5a
stabil Stat. 3/2.1b
Stadion, *das, Pl.: Stadien* 8/3.1
Stadt, die, "-e Start 3.3
Stadtbummel, *der, -* 8/1.3
Städtediktat, *das, -e* Start 3.3
Städtename, der, -n Start 3.3
Städteraten, *das* 3/2.6
Städtereise, *die, -n* 9/2.4
Stadtführung, die, -en 8/4.2b
Stadtplan, der, "-e 5/5.3
Stadtrundfahrt, die, -en 8/1.2
Stadttor, *das, -e* 8/2.5
Stadtverkehr, *der, ** 6/1
Stadtviertel, *das, -* 8/4.3
Stadtzentrum, das, *Pl.* -zentren 6/1
stark, stärker, am stärksten 12/1.1a
stärken 12/3.1a
Start, der, -s Start
Station, *die, -en* Stat. 1
Statistik, die, -en 7
stattfinden, *stattgefunden* 6/5.1
Stau, der, -s 5/1.1
Staub, der, * 11/5.5
stehen (etw. jdm), gestanden 11/1.1a
stehen, gestanden 3/3.2b
Stehlampe, *die, -n* 4/5.3
Steilwandkletterer, *der, -* 12/1.1a
Stelle, die, -n Ü 7/10
stellen, *hier:* Fragen stellen 1/2.9
Steuer, *die, -n* Stat. 3/1.4
Stichwort, *das, "-er* Stat. 2/1.2

Stiefel, der, - 11/1.1a
stimmen (das stimmt) 7/3.1
Stock, der, * (*Kurzf. für* Stockwerk) 4/1.1
Stofftier, *das, -e* Stat. 2/1.1a
stolz 9/2.2
Stopp! 2/3.6
Strand, der, "-e 9/1.2
Straße, die, -n 9/3.2
Straßenbahn, die, -en 6/1
Straßencafé, *das, -s* 11/5.1
Streifen, der, - 10/5.1
Stress, der, * 12/3.1a
Stück, das, -e 10/1.2
Student/in, der/die, -en/-nen Start 4.1
Studentenwohnheim, das, -e 4/1
studieren Start 4.1
Studium, *das, Pl.: Studiengänge* 8/4.1
Stuhl, der, "-e 2/1.4
Stunde, die, -n 5/3.2b
stundenlang 7/3.1
Suche, die, -n 7/3.4
suchen Start 4.1
Suchrätsel, *das, -* Ü 8/1
Süden, der, * 3/2.5
südlich von 3/2.5
super 8/4.1
Supermarkt, der, "-e Start 1.1
Suppe, die, -n Ü 5/4
süß 10/5.1
Symbol, *das, -e* Start 4.5
symbolisieren Stat. 3/2.1b
System, das, -e Ü 9/9
systematisch 2/4.5a

T

Tabelle, die, -n 1/2.6
Tablette, die, -n 12/2.2
Tafel (1), die, -n 2/1.4
Tafel (2), die, -n (Tafel Schokolade) 10/1.2
Tag! (*Kurzf. von* Guten Tag!) 1/1.1d
Tag, der, -e 3/5.1
Tagebuch, das, "-er 9/2.2
Tagesablauf, der , "-e 5/2
täglich 12/1.1a
Tai Chi, *das,* * 12/1.1a
Talkshow, *die, -s* Stat. 1/3.6
tanken 12/3.1a
Tante, *die, -n* Stat. 2/5.1
tanzen Ü 8/11
Tasche, die, -n 2/1.4
Tasse, die, -n 1/4.3
Tastatur, die, -en 6/3.3
Tätigkeit, *die, -en* Stat. 1/1.1a
tauschen 7/2.3c
Taxi, das, *Pl.* Taxen Ü 6/2
Taxifahrer/in, *der/die, -/-nen* 7/1.1
Taxizentrale, *die, -n* 1/4.2
Technik, *die, -en* Start 4.4
Teddybär, *der, -en* Stat. 2/1.1a
Tee, der, -s 1/1.1d
Telefon, das, -e Start 1.1
Telefonat, *das, -e* 6/4.1b
Telefonbuch, das, "-er 1/4.2
telefonieren (mit jdm) 5/3.2a
Telefonnummer, die, -n 1
Telekommunikation, *die, -en* 3/5.1
Temperatur, die, -en Ü 1/5
Tennisball, *der, "-e* 2/4.4
Termin, der, -e 5
Terminkalender, *der, -* 6/3
Test, der, -s 2/4.5b
teuer, teurer, am teuersten 4/1.1
Text, der, -e Start 4.1
Theater, das, - 2/4.5b
Theaterbesuch, *der, -e* 8/4.2b
Theaterkarte, die, -n 6/3.4
Thema, das, *Pl.:* Themen 6/5.1
thematisch 8/4.2b
Thermometer, *das, -* 12/4.5
Tier, das, -e 7/3.4
Tipp, *der, -s* 6/5.1
Tisch, der, -e 2/1.4
Titel, *der, -* Ü 7/4
Tochter, die, "- 7/3.1
Toilette, die, -n 4/4.3a
Toilettenpapier, *das,* * Stat. 3/5
toll 8/4.1
Tomate, die, -n 10/1.1
Tomatensaft, *der, "-e* 10/4.3
Tomatensoße, *die, -n* 10/3.3
Ton, *der, "-e* Start 1.3
Top Ten 9/5.1
Top, das, -s 11/1.1a
Tor, *das, -e* Stat. 2/2.4a
Torte, die, -n 9/2.2
Tour, die, -en 9/2.2
Tourismus, der, * Start 4.4
Tourist, der, -en Start.1.1
Touristeninformation, *die, -en* 8/3.1
Tradition, *die -en* 6/5.1
tragen, getragen 1/4.6
Trainer/in, der/die, -/-nen 7/3.2
trainieren 1/2
Training, das, -s 7/4.2
Trainingsanzug, *der, "-e* 11/3.2
Transport, *der, -e* Start 3.4
Traum, der, "-e 4/4.4a
Traummann/Traumfrau, *der/die, "-er/-en* 12/4.3
Traumwohnung, *die, -en* 4/4.4
traurig Ü 11/12
Treffen, das, - 1/1
treffen, getroffen 5/4.1
Trekkingtour, *die, -en* Stat. 3/1.3
trennbar 5
Treppenhaus, das, "-er 4/8.1
trinken, getrunken 1/1.1d
Tschechisch, *das,* * 3/4.3
tschüss 5/4.2
T-Shirt, das, -s 11/1.1a
tun, getan 7/2.2
Tür, die, -en 2/2.1
türkis 11/2.1
Turm, der, "-e 3/1.1
TV, das, -s Start 3.4
Typ, *der, -en* Ü 12/8
typisch 12/3.5

U

U-Bahn, die, -en 6/1.4
üben 1/1.1d
über 3/5.1
über (über 200 Millionen) 1/4.6
übergeben, *übergeben* 7/2.3c
überhaupt nicht 11/2.5
übernachten 9/2.2
Überschrift, *die, -en* Stat. 3/2.1b
übersetzen 12/3.1a

Übung, die, -en 2/4.5b
Übungszeit, *die, -en* 5/7.1
Ufer, *das, -* Start 4.5
Uhr, die, -en 5/1.5
Uhrzeit, die, -en 5
um 5/2.1
Umgangssprache, *die, -n* 5/1.2
Umkleidekabine, die, -n Ü 11/7
Umlaut, *der, -e* 2
Umzug, der, "-e 4/7
umziehen, *umgezogen* Stat. 1/3.2
Umzugschaos, *das, ** 4/7.1
Umzugskarton, der, -s 4/7.1
und Start
Unfall, der, "-e 9
Uni-Klinik, *die, -en* Ü 6/1
Universität, die, -en Start 4.1
unser, unser, unsere 4/1.1
unten 6/2.1
unter 6
unterrichten 7/2.2
Unterricht, der, * Stat. 1/1.1b
Unterschied, der, -e 3/2.3
unterschiedlich 1/4.6
unterstreichen, *unterstrichen* Stat. 1/3.2c
untersuchen 7/2.2
Untersuchung, *die, -en* Stat. 3/1.3
unterwegs 8/4.1
Urlaub, der, -e 9
Urlauber/in, der/die, -/-nen 9/1.2
Urlaubsreise, die, -n 9/5.1
usw. *(= und so weiter)* Stat. 2/2.4b

V

Variante, *die, -n* 2/3.3
Vase, die, -n 4/3.1
Vater, der, "- 11/5.5
Vegetarier/in, *der/die, -/-nen* Ü 11
vegetarisch 10/4.3
verabreden 5
Verabredung, die, -en 5/4
Verabschiedung, *die, -en* Stat. 1/2.1
verändern 12/3.5
Verbendung, *die, -en* 1/2.6
verbinden, verbunden Ü 1/2
verboten (sein) 4/8.1
verdienen 7/3.4
vergehen, *vergangen* 11/5.5
vergessen, vergessen 5/5.3
vergleichen, verglichen 3/3.2a
verheiratet (mit) 2/5.1
verkaufen 7/2.2
Verkäufer/in, der/die, -/-nen 7/2.2
Verkehr, der, * 3/5.1
Verkehrsmittel, das, - 6
Verlag, *der, -e* 6/1.1
Verlagshaus, *das, "-er* 6/1
Verlagskaufmann/frau, *der/die, "-er/-en* 6/1
verlieren, verloren 9/3.2
Verneinung, *die, -en* 2
verrühren 10/5.1
verschieden 4/6.1
verschreiben, *verschrieben* 12/2.4
versichern 12/2.2b
Versicherte, *der, -n* 12/2.2b
Verspätung, die, -en 5
verstehen, verstanden Start
verteilen 11/4.1b
vertilgen 11/5.5
Vertriebsleiter/in, *der/die, -/-nen* 6/2.7
verwechseln 8/2.7
verwenden 1/4
Video, das, -s 4/7.1
Videorekorder, der, - 2/1.4
viel, mehr, am meisten 4/2.2b
viele 3/5.1
Viele Grüße ... 4/7.1
Vielen Dank! 8/2.1
vielleicht Ü 11/7
Viertel nach 5/1.2
Viertel vor 5/1.2
Viertel, *das, -* 8/1.2
Viertelstunde, die, -n 6/1
violett 11/2.1
Violine, *die, -n* Start 4.1
virtuell 8/4.3
Visitenkarte, *die, -n* 7/2.3
Visum, das, *Pl.:* Visa 5/2.6
Vitamin, *das, -e* 12/3.1a
Vogel, *der, "-* Stat. 3/3.4
Volkshochschule, die, -n 2/5.1
voll 4/8.1
Vollmilch, die, * 10/1.2
von (jdm) 5/2.5
von ... nach Start 4.1
vor 6
vorbei 8
vorbeigehen (an etw.), vorbeigegangen 8/2.5
vorbeifahren, vorbeigefahren Ü 8/2
vorbereiten 5/2.5
vorher Start 4.1
vorlesen, *vorgelesen* Ü 12/7
Vormittag, *der, -e* Stat. 2/2.3
vormittags 9/2.2
Vorname, der, -n Start 3.8
vorschlagen, vorgeschlagen 5/5.1b
vorstellen (sich) Start
Vorstellung, *die, -en* Start 2.9
Vorwahl, die, -en Ü 1/7

W

Wagen, der, - 10/2.2
Wand, die, "-e 6/3.1
wandern 9/1.2
wann 5
warm, wärmer, am wärmsten 1/4.3
warten 5/5.3
Warteschlange, *die, -n* 9/1.2
Wartezimmer, das, - 12/2.2a
was Start 1.1
was für ein ... 4/2.2b
Was macht das? 10/2.7
Waschbecken, das, - 4/6.1
waschen, *gewaschen* Stat. 3/1.3
Waschmaschine, die, -n 4/7.1
Wasser, das, - 1/4.5
wechseln 3/4.3
Wecker, der, - 5/5.3
weg Ü 9/9
Weg, der, -e 6
Wegbeschreibung, *die, -en* 8/2.5
wehtun, wehgetan 12
Weihnachten, das, - 9/4.1

Weihnachtsferien, Pl. 9/4.1
Wein, der, -e Ü 3/8
weiß 11/1.1a
Weißbrot, das, -e 10/1.2
weit 8/2.1
weiter 4/4.4b
weiterfahren, weitergefahren 9/3.2
Weiterfahrt, die, -en 9/2.2
weitergeben, weitergegeben 4/4.4b
welcher, welches,welche,10
Welt, die, -en 6/5.1
weltbekannt Stat. 1/4.1
Weltmeister, der, - 11/3.2
wenig 7/3.1
wenn 6/5.1
wer Start 2.1
Werbung, die, * 6/2.2
Werkstatt, die, "-en 7/2.2
Westen, der, * 3/2.5
Wetter, das, * 9/1.4
wichtig 1/4.2
wie Start 1.2
Wie bitte? 2/1.2
Wie geht's? 3/2.1
wie viel 5/1.5
wieder 8/4.1
wiederholen 2/1
Wind, der, * 11/5.2
windig 11/5.1
Winter, der, - 9/4.1
*Wintersport, der, ** Stat. 1/5.1c
Wintersportler, der, - 11/5.1
wirklich 4/2.2b
wissen, gewusst 8/2.1
wo Start 1.3
Woche, die, -n 5/3.1b
Wochenende, das, -n 7/3.1
Wochenendeinkauf, der, "-e 10/2.2
Wochentag, der, -e 5
woher Start 2.1
wohin 8/2.2
wohnen Start 2.5
Wohnform, die, -en 4/8.1
Wohnung, die, -en 4
Wohnzimmer, das, - 4/2.1
Wolke, die, -n 11/5.2
wollen 8
Wort, das, "-er Start
Wortakzent, der, -e Start
Wörterbuch, das, "- er 2
Wörterliste, die, -n 2/2.2
Wörternetz, das, -e 4/6.1
Wortfeld, das, -er 6/1
Wortkarte, die, -n 4/6.1
Wortschatz, der 4
worüber 3/1.2
wunderschön 12/4.4
wünschen 10/1.1
Würfel, der, - 10/5.1
Wurst, die, "-e 10/1.2

Y

*Yoga, das, ** Ü 5/10

Z

Zahl, die, -en 1
zahlen 1/4.3
zählen 1/3
zählen zu (+ Akk.) 6/5.1
Zahlenlotto, das, -s 1/3.5
Zahlungsmittel, das, - 1/4.6
Zahnarzt/-ärztin, der/die, "-e/-nen 5/5.1b
Zärtlichkeit, die, -en 9/4.3
zeichnen 2/4.2
Zeichnung, die, -en 4/2.2a
zeigen 3/1.5
Zeit, die, -en 5
Zeitangabe, die, -n 5
Zeitplan, der, "-e 5/7
Zeitung, die, -en Start 4.4
Zelt, das, -e Ü 9/9
zelten 9/2.4
zentral 4/7.1
Zettel, der, - 4/6.1
Ziel, das, -e 8/3.3
ziemlich 4/1.1
Zigarette, die, -n 12/3.5
Zimmer, das, - 4/1
Zirkus, der, -se 5/4.1
Zoo, der, -s 5/4.3
zu 4
zur 3/5.1
zu Ende (sein) Ü 8/10b
zu Fuß gehen 6/1.4
zu Hause 4/5.1b
zu zweit 5/2.1
*Zubereitung, die, ** 10/5.1
Zucker, der, * 10/4.3
zuerst 1/3.6
Zug, der, "-e 5/5.3
zunehmen, zugenommen 12/3.1a
zuordnen Start 2.6
zurück Start 4.1
zurückdenken an (+ *Akk.*), zurückgedacht 11/5.5
zusammen 1/4.3
Zusammenfassung, die, -en 10/3.2
zusammengehören Start 1.1
zusammengesetzt 4
zustimmen 5/5.1b
Zutat, die, -en 10/5.1
zweimal 5/2.5
Zwiebel, die, -n 10/1.1
zwischen 3/5.1

Liste der unregelmäßigen Verben

Infinitiv	Präsens	Perfekt
abfahren	er fährt ab	er ist abgefahren
abhängen von *(+ Dat.)*	es hängt ab von	es hat abgehangen von
anbraten	*er brät das Fleisch an*	*er hat das Fleisch angebraten*
anfangen	sie fängt an	sie hat angefangen
angeben	*er gibt es an*	*er hat es angegeben*
ankommen	sie kommt an	sie ist angekommen
anrufen	er ruft an	er hat angerufen
anschreiben	sie schreibt den Satz an	sie hat den Satz angeschrieben
ansehen	er sieht das Foto an	er hat das Foto angesehen
anziehen (sich)	sie zieht sich an	sie hat sich angezogen
aufstehen	er steht auf	er ist aufgestanden
ausdenken (sich etw.)	*sie denkt sich etwas aus*	*sie hat sich etwas ausgedacht*
ausfallen	es fällt aus	es ist ausgefallen
ausgehen	er geht aus	er ist ausgegangen
aussehen	sie sieht gut aus	sie hat gut ausgesehen
backen	er backt	er hat gebacken
beginnen	der Kurs beginnt	der Kurs hat begonnen
bekommen	sie bekommt etwas	sie hat etwas bekommen
beraten	er berät ihn	er hat ihn beraten
beschreiben	sie beschreibt etwas	sie hat etwas beschrieben
bitten (um etw.)	er bittet um etwas	er hat um etwas gebeten
bleiben	sie bleibt	sie ist geblieben
bringen	er bringt etwas	er hat etwas gebracht
denken	sie denkt	sie hat gedacht
durchstreichen	*er streicht es durch*	*er hat es durchgestrichen*
dürfen	sie darf	sie hat gedurft
einladen	er lädt sie ein	er hat sie eingeladen
einreiben	*sie reibt es ein*	*sie hat es eingerieben*
einsteigen	er steigt ein	er ist eingestiegen
eintragen	*sie trägt es ein*	*sie hat es eingetragen*
entscheiden (sich)	er entscheidet sich	er hat sich entschieden
erfinden	*sie erfindet es*	*sie hat es erfunden*
essen	er isst	er hat gegessen
fahren	sie fährt	sie ist gefahren
fallen	er fällt	er ist gefallen
fernsehen	sie sieht fern	sie hat ferngesehen
finden	er findet es	er hat es gefunden
fliegen	sie fliegt	sie ist geflogen
geben	er gibt	er hat gegeben
gefallen (jdm)	es gefällt ihr	es hat ihr gefallen
gehen	er geht	er ist gegangen
hängen	es hängt	es hat gehangen
heißen	sie heißt	sie hat geheißen
helfen	er hilft	er hat geholfen
kennen	sie kennt ihn	sie hat ihn gekannt
kommen	er kommt	er ist gekommen
können	sie kann	sie hat gekonnt

laufen	er läuft	er ist gelaufen
Leid tun	es tut ihr Leid	es hat ihr Leid getan
lesen	er liest	er hat gelesen
liegen	es liegt im ...	es hat im ... gelegen
messen	*sie misst*	*sie hat gemessen*
mögen	er mag es	er hat es gemocht
müssen	sie muss *(+ Inf.)*	sie hat .... gemusst
nehmen	sie nimmt	sie hat genommen
nennen	er nennt es	er hat es genannt
raten	sie rät es	sie hat es geraten
rufen	er ruft sie	er hat sie gerufen
schlafen	sie schläft	sie hat geschlafen
schneiden	er schneidet	er hat geschnitten
schreiben	sie schreibt	sie hat geschrieben
schwimmen	er schwimmt	er ist geschwommen
sehen	sie sieht es	sie hat es gesehen
sein	er ist ...	er ist ... gewesen
sitzen	sie sitzt	sie hat gesessen
sprechen	er spricht	er hat gesprochen
springen	sie springt	sie ist gesprungen
stattfinden	*es findet statt*	*es hat stattgefunden*
stehen	sie steht ...	sie hat gestanden
tragen	er trägt es	er hat es getragen
treffen	sie trifft ihn	sie hat ihn getroffen
trinken	er trinkt	er hat getrunken
tun	sie tut es	sie hat es getan
übergeben	*er übergibt es*	*er hat es übergeben*
unterstreichen	*sie unterstreicht es*	*sie hat es unterstrichen*
verbinden	er verbindet es	er hat es verbunden
vergehen	es vergeht	es ist vergangen
vergessen	sie vergisst es	sie hat es vergessen
vergleichen	er vergleicht es	er hat es verglichen
verlieren	sie verliert es	sie hat es verloren
verschreiben	*er verschreibt etwas*	*er hat etwas verschrieben*
verstehen	sie versteht	sie hat verstanden
vorschlagen	er schlägt etwas vor	er hat etwas vorgeschlagen
waschen	sie wäscht es	sie hat es gewaschen
wehtun	es tut weh	es hat wehgetan
wissen	er weiß	er hat gewusst
zunehmen	*es nimmt zu*	*es hat zugenommen*

Hörtexte

Hier finden Sie alle Hörtexte, die nicht oder nicht komplett in den Einheiten und Übungen abgedruckt sind.

1 2

1. Mein Name ist Sascha Romanov. Ich bin von Beruf Bäcker und arbeite in einer Bäckerei in Köln.
2. Ich bin Dr. Michael Götte. Ich bin Programmierer bei Siemens in Rostock.
3. Ich heiße Sabine Reimann. Ich arbeite als Sekretärin bei einer Versicherung in Basel.
4. Ich heiße Stefanie Jankowski. Ich bin Studentin, aber im Moment arbeite ich als Kellnerin in einem Restaurant in Wien.
5. Ich bin Jana Hartmann. Ich bin Taxifahrerin in Berlin.

Ü 1

Aussage 1 Mein Name ist Klaus Müller. Ich arbeite bei der Commerzbank.
Aussage 2 Ich arbeite bei der Leipziger Volkszeitung. Das ist eine große Zeitung in Sachsen.
Aussage 3 Ich heiße Bettina Kraus. Ich studiere Englisch an der Friedrich-Schiller-Universität in Jena.
Aussage 4 Ich bin Verlagskaufmann und arbeite bei Cornelsen. Der Cornelsen-Verlag macht Bücher für Schulen.
Aussage 5 Herbert Stern arbeitet im Krankenhaus. Er ist Arzt. Er arbeitet oft nachts.

Ü 2

Dialog 1
+ Welche Krankenkasse haben Sie bitte?
– Die AOK.
+ Danke.

Dialog 2
+ Was sind Sie von Beruf?
– Ich arbeite bei der Allgemeinen Zeitung.

Dialog 3
+ Wo ist die Kantine, bitte?
– Gleich hier links.

Dialog 4
Frau Schmidt, legen Sie bitte die Papiere in den Schrank.

Dialog 5
+ Der Chef aus der Marketingabteilung spricht sehr gut Englisch.
– Ja, er war lange in England.

Ü 9

Ich arbeite im Lufthansa-Call-Center in Kassel. Ich muss beruflich viel telefonieren. Ich spreche Deutsch, Englisch und Spanisch. Also bekomme ich die Telefonanrufe aus Großbritannien, Spanien, Südamerika und den USA. Meine Kolleginnen und ich sitzen zusammen in einem Büro. Wir beraten unsere Kunden am Telefon, informieren sie über Flugzeiten und reservieren Flugtickets. Wir müssen am Telefon immer freundlich sein, das ist nicht leicht. Unsere Arbeitszeit ist flexibel, aber wir müssen manchmal auch am Wochenende arbeiten. Ich habe dann wenig Zeit für meine Familie. Meine Tochter ist leider keine Hilfe im Haushalt – sie kann stundenlang telefonieren, aber sie kann nicht kochen!

1 3

Wir fahren auf unserer Route jetzt durch den Tiergarten. Links seht ihr das Schloss Bellevue, das ist der Sitz des Bundespräsidenten. Jetzt links kommt das neue Bundeskanzleramt. Die Berliner nennen das Gebäude „Waschmaschine". Vor uns seht ihr den Reichstag und jetzt rechts das Brandenburger Tor. Dort hinten ist der Potsdamer Platz. Dort ist auch das Sony Center. Wir sind jetzt in der Straße Unter den Linden. Hier sind viele Botschaften. Rechts das große Haus, das ist die russische Botschaft. Wir fahren jetzt über die Friedrichstraße. Das ist eine beliebte Einkaufsstraße. Die Staatsoper ist hier rechts. Links kommt die Humboldt-Universität. Und jetzt fahren wir über die Schlossbrücke. Links, das ist der Berliner Dom und dann kommt die Alte Nationalgalerie. Vor uns sehen wir den Fernsehturm auf dem Alexanderplatz.

2 2

Dialog 1
+ Entschuldigung, wie kommen wir von hier zur Museumsinsel?
– Das ist ganz leicht. Hier ist das Rote Rathaus. Daran gehen Sie vorbei bis zur Spandauer Straße. Dort gehen Sie geradeaus und überqueren die Karl-Liebknecht-Straße. Die nächste Ampel links in die Burgstraße. Dann immer geradeaus bis zur Museumsinsel.

Dialog 2
+ Entschuldigung, wo geht's denn hier zum Nikolaiviertel?
– Das ist nicht weit. Gehen Sie einfach hier über den Alexanderplatz bis zur Spandauer Straße. Links sehen Sie das Rote Rathaus. Gehen Sie einfach am Rathaus vorbei und Sie kommen direkt ins Nikolaiviertel. Viel Spaß!
– Vielen Dank.

2 3

der Kanzler, der Bundeskanzler, das Bundeskanzleramt
der Präsident, der Bundespräsident
die Universität, die Humboldt-Universität
die Botschaft, russisch, die russische Botschaft
Berlin, Berliner, der Berliner Dom
fernsehen, der Turm, der Fernsehturm
die Straße, Friedrich, die Friedrichstraße
die Oper, die Staatsoper, die Staatsoper in Berlin
Potsdam, Potsdamer, der Potsdamer Platz

2 6

Dialog 1

– Entschuldigung, wie komme ich zur Alten Nationalgalerie?
+ Moment, ja – gehen Sie hier gleich links durch den Garten, dann kommen Sie auf die Burgstraße. Die gehen Sie noch ein Stück rechts hoch, dann sehen Sie die Nationalgalerie.

Dialog 2

– Bitte, ich möchte zum U-Bahnhof Friedrichstraße? Wie finde ich den?
+ Kein Problem. Hier an der Universität vorbei, geradeaus bis zum Hegelplatz. Gehen Sie über den Platz bis zur ersten Ampel, dann links. Sie kommen direkt auf den U-Bahnhof zu.
– Vielen Dank.

Dialog 3

– Hallo, wir suchen die Humboldt-Universität. Können Sie uns helfen?
+ Ja, Moment. Gehen Sie hier geradeaus bis zur Ampel. Dort gehen Sie links in die Französische Straße. Dann rechts über den Bebelplatz, bis zur Straße Unter den Linden, dann noch ein Stück links.
– Also, erst geradeaus, dann an der Ampel links. Dann über den Bebelplatz und dann wieder links?
+ Genau.
– Dankeschön.

Ü 4

b) Gehen Sie an der zweiten Kreuzung rechts. Gehen Sie geradeaus bis zur dritten Kreuzung, dann links. Der *Bahnhof* ist an der nächsten Kreuzung rechts.

Ü 5

– Entschuldigung, wo geht es zur Deutschen Bank?
+ Ja, gehen Sie geradeaus und an der nächsten Kreuzung rechts. Dann die nächste Straße links.
– Also geradeaus und an der nächsten Kreuzung links?
+ Nein, an der nächsten Kreuzung rechts.
– Ach so, an der nächsten Kreuzung rechts.
+ Die Bank ist das große moderne Haus auf der rechten Seite.
– Vielen Dank. Ist es weit?
+ Na ja, etwa fünf Minuten.
– Danke. Auf Wiedersehen!

9 Ferien und Urlaub

1 3

– Guten Tag, Frau Rode, wie geht's?
+ Danke, prima, ab morgen mache ich Urlaub.
– Aha, und wohin geht es?
+ Wir fahren mit der ganzen Familie für drei Wochen an die Ostsee.

+ Hallo Susanna, warst du schon im Urlaub?
– Ja, ich war auf Sylt, es war prima!

– Schau mal, Katja, ist das etwas für unseren Sommerurlaub?
+ Romantisches Heidelberg – Urlaub in der City. Ja, prima, Sven! Heidelberg und den Neckar will ich schon lange mal seh'n!

+ Hallo Max, du siehst ja super aus!
– Ja, ich bin gerade aus dem Urlaub zurück.
+ Und wo warst du?
– Im Allgäu, wir waren wandern!

1 5

toll – super – schön – langweilig – prima – gut – schlecht

3 6

Ich bin Manja. Ich war in den Ferien an der Ostsee. Ich war oft am Strand. Ich habe in der Sonne gelegen, viel gebadet und gelesen.

Hallo, ich bin Herr Demme. Ich habe im Urlaub einen Freund in München besucht. Wir haben die Stadt besichtigt und dann sind wir in die Alpen gefahren. Wir sind viel gewandert.

Ich bin Frau Biechele. Ich war auf der Insel Sylt. Ich habe Freunde getroffen, wir sind oft Rad gefahren und haben die Insel angesehen. Und ich habe immer lange geschlafen!

Ü 3

– Guten Tag, Frau Mertens.
+ Guten Tag, Herr Marquardt. Waren Sie in Urlaub?
– Ja, zwei Wochen. Ich bin am Montag zurückgekommen.
+ Wo waren Sie denn?
– Wir waren auf der Insel Rügen, in Sassnitz.
+ Und wie war es?
– Es war toll. Wir waren jeden Tag draußen.
+ Und wie war das Wetter?
– Es war prima. 14 Tage nur Sonne!

10 Essen und trinken

2 1

1. + Guten Tag, vier Brötchen, bitte!
2. + Was darf es sein?
   – Ich hätte gern zwei Kilo Kartoffeln.
3. + Geben Sie mir bitte ein Kilo Bananen.
   – Darf es noch etwas sein?
   + Ja, 500 Gramm Erdbeeren.
4. + Eine Dose Sauerkraut, bitte.

2 6

c) + Ich trinke sehr gern Vanilletee.
– Ich nehme lieber Erdbeertee.
+ Ich trinke sehr gern schwarzen Tee.
– Ich nehme lieber Früchtetee.
+ Ich trinke sehr gern Kirschtee.
– Ich nehme lieber Apfeltee.
+ Ich trinke sehr gern Eistee.
– Ich nehme lieber Zitronentee.

Ü 4

– Guten Tag, Sie wünschen bitte?
+ Ich hätte gern 200 Gramm Schinken, bitte.
– Gerne. Darf es noch etwas sein?
+ 100 Gramm Leberwurst, bitte.
– Darf es etwas mehr sein?
+ Nein, bitte nicht mehr.
– Gut. 100 Gramm. Noch etwas?
+ Was kostet das Hähnchen?
– Hähnchen ist billig heute. Das Kilo 2,99.
+ Gut, dann nehme ich ein Hähnchen.
– Hier, bitte. Noch etwas?
+ Danke, das ist alles. Auf Wiedersehen.
– Vielen Dank. Auf Wiedersehen.

Ü 9

+ Mmh, das sieht ja lecker aus!
– Ja, sehr lecker. Aber es gibt so viel Fleisch ...
+ Das stimmt. Magst du kein Fleisch?
– Nein, ich esse lieber Fisch als Fleisch. Was isst du am liebsten?
+ Mein Lieblingsessen ist Hähnchen mit Pommes. Und dazu eine Cola. Und dein Lieblingsessen?
– Fisch und dazu ein großer Salat. Cola mag ich nicht. Ich trinke lieber Wasser.
+ Hm. Ich glaube, wir passen nicht zusammen!

Ü 11

Fernanda und Bernd sind verheiratet. Sie haben ein Kind, Lisa. Bernd arbeitet bei Siemens in München. Er muss früh aufstehen. Um 9 Uhr frühstückt er in der Firma: Kaffee und ein Brötchen mit Wurst. Um 12 Uhr isst er in der Kantine mit Kollegen zu Mittag: Er isst Fleisch und Gemüse. Fernanda steht um halb sieben auf. Sie frühstückt mit Lisa: Brot mit Marmelade. Dazu trinken sie Tee und Milch. Dann geht Fernanda arbeiten und Lisa in die Schule. Mittags macht Fernanda für ihre Tochter oft Pizza oder Spaghetti. Abends essen alle zusammen: meistens Brot mit Käse und Salat. Am Sonntag macht Bernd ein großes Frühstück. Sie essen ein Ei und Brötchen mit Wurst, Käse und Marmelade. Manchmal essen sie auch Bratwurst mit Kartoffeln.

11 Kleidung und Mode

5 3

Und hier das Wetter in Europa für morgen, den 15. Dezember: In Athen ist es bewölkt, um die fünf Grad. Berlin – heiter, 15 Grad. London – heiter bis wolkig und bis zu 17 Grad. In Madrid auch bewölkt und 17 Grad. In Moskau leichte Schneefälle bei minus drei Grad. Dagegen scheint in Rom die Sonne bei Temperaturen bis 16 Grad. In Lissabon ebenfalls 16 Grad, aber es ist mit Regen zu rechnen.

Ü 2

Claudia trägt die aktuelle Sommermode. Leicht und gut kombinierbar: eine helle Sommerhose und eine rote Bluse. Das steht jeder Frau. Die ideale Urlaubskleidung.

Thomas zeigt die Herbstmode für den Mann. Der elegante Mann trägt einen weißen Anzug und ein blaues Hemd. Die Krawatte ist grün. Das sieht gut aus. Dazu einen braunen Mantel. Ja, das ist der aktuelle Modetrend für den Mann.

Bianca und André zeigen aktuelle und preiswerte Kleidung für Sie und Ihn. Beide tragen Hosen. André helle Jeans und Bianca eine modische, dunkelgraue Hose. Bianca trägt zur Hose weiße Stiefel. André trägt ein rotes T-Shirt und eine blaue Jacke, Bianca eine rote Jacke und einen blauen Rollkragen-Pulli. Die ideale Kleidung für die Freizeit: kombinierbar und modisch!

Ü 8

+ Kann ich Ihnen helfen?
– Ich suche eine Hose.
+ Welche Größe haben Sie?
– Größe 40. Haben Sie eine schwarze Hose fürs Büro?
+ Diese hier ist Größe 40. Leider haben wir die nur in Blau oder in Rot.
– Kann ich die in Blau mal anprobieren?
+ Natürlich, gern. Hier, bitte.
– Hm ... die gefällt mir gut. Sie ist auch sehr bequem. Steht sie mir?
+ Ja, die steht Ihnen ausgezeichnet.
– Gut, dann nehme ich sie.

12 Körper und Gesundheit

2 1

+ Praxis Dr. Franke, Viola, was kann ich für Sie tun?
– Guten Morgen, mein Name ist Aigner. Ich fühle mich nicht gut. Ich möchte einen Termin bei Frau Dr. Franke.
+ Heute ist die Praxis voll, aber morgen um 8.30 Uhr können Sie kommen.
– Morgen ist Dienstag ... ja, das ist gut.
+ Also bis morgen, 8.30 Uhr, Herr Aigner, und bringen Sie bitte Ihre Versicherungskarte mit.

2 2

– Guten Morgen, mein Name ist Aigner. Ich hatte einen Termin.
+ Morgen, Herr Aigner. Waren Sie in diesem Quartal schon mal bei uns?
– Nein, in diesem Quartal noch nicht.
+ Dann brauche ich Ihre Krankenversicherungskarte.
– Hier, bitte. Muss ich warten?
+ Nein, Sie können gleich ins Arztzimmer gehen.

2 3

+ Guten Tag, Herr Aigner. Was fehlt Ihnen denn?
– Tag, Frau Doktor. Ich habe seit zwei Tagen Fieber und mein Hals tut weh.
+ Sagen Sie mal „Aaaa"!
– Aaaaa!
+ Ja, Ihr Hals ist ganz rot. Husten Sie mal!
– Hust-hust. Ist es schlimm?

+ Na ja, Sie haben eine Erkältung. Ich schreibe Ihnen ein Rezept.
– Darf ich rauchen?
+ Nein, und Sie dürfen auch keinen Alkohol trinken! Ich schreibe Sie eine Woche krank. Und kommen Sie bitte nächste Woche wieder.
– Ja, mach ich. Danke, Frau Doktor. Auf Wiedersehen.
+ Gute Besserung, Herr Aigner!

Ü 1

1. Stehen Sie gerade. Strecken Sie die Arme rechts und links aus. Bewegen Sie den Körper von links nach rechts.
2. Legen Sie sich auf den Rücken. Die Beine sind gerade. Die Hände liegen am Körper. Heben Sie jetzt den Kopf und heben Sie die Beine nach oben. Der Rücken bleibt am Boden.
3. Gehen Sie auf die Knie. Ihr Rücken ist gerade. Die Hände liegen hinten auf den Beinen. Bewegen Sie den Körper jetzt leicht zurück.
4. Setzen Sie sich auf den Boden. Heben Sie jetzt den Körper mit den Händen und legen Sie den Kopf zurück. Der Rücken ist gerade.
5. Legen Sie sich auf den Bauch. Die Hände sind auf dem Boden. Strecken Sie die Arme. Heben Sie jetzt den Po ganz hoch.

Ü 6

+ ... Sagen Sie mal Aaaah!
– Aaaah!
+ Ja, Sie haben eine Erkältung. Ich schreibe Ihnen Tabletten und Hustensaft auf. Nehmen Sie die Tabletten dreimal am Tag nach dem Essen. Die sind gegen die Halsschmerzen. Nehmen Sie den Hustensaft am Abend vor dem Schlafen. Und trinken Sie drei Liter Tee oder Wasser am Tag. Aber trinken Sie kein Bier und keinen Wein. Essen Sie viel Obst und Gemüse. Und rauchen Sie nicht! Dann sind Sie nach einer Woche wieder gesund.

Ü 8

1. – Siehst du den tollen Typ da drüben?
   + Den Blonden? Das ist Peter! Findest du ihn gut?
   – Ja, er sieht super aus!
   + Ich habe seine Telefonnummer. Ruf ihn doch mal an.
2. + Bist du noch mit Ulla zusammen?
   – Nein, ich habe sie schon seit einem halben Jahr nicht mehr getroffen.
3. + Hallo! Ich glaube, ich habe Sie schon einmal gesehen.
   – Ja, natürlich! Am Montag haben wir uns in der Galerie getroffen. Wie geht es Ihnen denn?
4. + Du hast ja ein tolles Kleid an!
   – Danke. Ich habe es letzte Woche gekauft.
5. + Ihr habt euch im Café am Markt getroffen, du und ein junger Mann. Du liebst mich nicht mehr!
   – Natürlich liebe ich dich noch. Er ist mein Kollege. Wir hatten ein Arbeitsessen.

Station 3

1 2

b) *Frau Manteufel, welche Aufgaben haben Sie im Reisebüro?*
Als Reiseverkehrskauffrau organisiere ich Urlaubs- und Geschäftsreisen für unsere Kunden. Ich muss z. B. Abfahrtszeiten für die Reisen mit der Bahn, dem Bus, dem Flugzeug oder dem Schiff recherchieren und Fahrkarten und Tickets buchen. Ich reserviere Zimmer in Hotels, aber auch Ferienwohnungen oder Ferienhäuser, und ich organisiere Exkursionen. Wir müssen viele Länder sehr gut kennen. Ich bin Spezialistin für Reisen in die USA und nach Kanada, ich muss immer aktuelle Informationen haben.

Wie sammeln Sie Ihre Informationen?
Ich lese aktuelle Reiseführer und Kataloge, und man kann auch Informationen aus Videos sammeln. Mit dem Computer recherchiere ich z. B. Reiseziele, Preise oder Fahrpläne.

Verreisen Sie oft?
Wir reisen leider nicht so oft, nur im Urlaub. Manchmal muss ich eine Qualitätskontrolle in Hotels im Ausland machen oder mich über neue Reisetrends informieren. Dann fahre ich zu einer Messe. Letzte Woche war ich in Friedrichshafen zur Internationalen Touristikmesse „Reisen und Freizeit".

Für welche Länder haben Kunden großes Interesse?
In Europa sind es Griechenland und Italien. Im Trend sind ganz klar Trekking-Touren, z. B. auch in Nepal oder in Kenia. Abenteuerurlaub ist im Moment „in". Unsere Kunden lieben das!

1 4

Dialog 1: Im Reisebüro
+ Was kann ich für Sie tun?
– Ich muss am 27. September in Istanbul sein.
+ Also, es gibt einen Flug am 27.09. um 11.35 Uhr.
– Wann bin ich dann in Istanbul?
+ Um 14.10 Uhr.
– Wie viel kostet der Flug?
+ 278 Euro, inklusive Steuern.
– Ja, der ist gut, den nehme ich.

Dialog 2: Im Krankenhaus
+ Guten Morgen, Frau Otto. Wie geht es Ihnen?
– Danke, besser. Ich habe kein Fieber.
+ Kein Fieber? Wir messen aber noch einmal vor dem Frühstück.
– Wann gibt es Frühstück?
+ In zwei Minuten, danach nehmen Sie bitte die Tabletten, okay?
– Gut, aber geben Sie mir bitte noch ein Glas Wasser.

Lösungsschlüssel

7 Berufe

1 1

1b – 2e – 3g – 4h – 5f – 6a – 7c – 8d

1 2

1: Sascha Romanov ist Bäcker. – 2: Dr. Michael Götte ist Programmierer. – 3: Sabine Reimann ist Sekretärin. – 4: Stefanie Jankowski ist Studentin. Sie arbeitet als Kellnerin. – 5: Jana Hartmann ist Taxifahrerin.

2 1

der Lehrer	die **Lehrerin**
der **Taxifahrer**	die Taxifahrerin
der **Student**	die Studentin

Regel: Weibliche Berufsbezeichnungen haben meistens die Endung **-in.**

2 2

a: Ein Lehrer / eine Lehrerin unterrichtet Schüler/innen an einer Schule. – c: Ein Schuhverkäufer / eine Schuhverkäuferin verkauft Schuhe im Schuhgeschäft. – d: Ein Frisör / eine Frisörin schneidet Haare im Frisörsalon. – e: Ein Arzt / eine Ärztin untersucht Patienten im Krankenhaus. – f: Ein Programmierer / eine Programmiererin schreibt Computerprogramme im Büro.

2 3

a)
Arbeitsplatz/Firma, Name, Beruf, Adresse, Telefonnummer, Faxnummer, E-Mail-Adresse

3 1

Richtig: Nr. 1, 3, 4 und 6

3 2

Jan Jacobsen – Was? (Beruf und Tätigkeiten) Trainer: einen Aerobic-Kurs leiten, Sportgeräte kontrollieren, Mitglieder beraten, Sportkurse planen, Partys organisieren – *Wo? (Arbeitsort)* in Bochum – *Wann? (Arbeitszeit)* 10 bis 20 Uhr – *Was im nächsten Jahr? (Berufsplan)* Animateur in einem Sportclub in Spanien

Susan Hein – Was? (Beruf und Tätigkeiten) Call-Center-Agentin: telefonieren, Kunden am Telefon beraten und informieren, Flugtickets reservieren – *Wo? (Arbeitsort)* in Kassel – *Wann? (Arbeitszeit)* flexibel – *Was im nächsten Jahr? (Berufsplan)* ?

4 2

a)
Um 6.15 Uhr muss Paula aufstehen.
Sie muss um 7.15 Uhr mit dem Bus zur Arbeit fahren.
Von 7.30 bis 12 Uhr arbeitet sie am Computer.
Um 16.30 Uhr muss sie ihren Sohn vom Kindergarten abholen.
Um 18.30 Uhr macht Paula das Abendessen.
Paula und Frank können von 20 bis 22 Uhr fernsehen.

b)
Frank kann bis 7 Uhr schlafen.
Um 8.30 Uhr muss er seinen Sohn in den Kindergarten bringen.
Um 12.30 Uhr bringt er das Auto in die Werkstatt.
Von 17 bis 18.30 Uhr geht er zum Fußballtraining.
Um 19 Uhr bringt er seinen Sohn ins Bett.
Paula und Frank können von 20 bis 22 Uhr fernsehen.

5 1

b)
Regel: Akkusativendung im Maskulinum Singular ist immer **-en**.

Ü 1

a1 – b3 – c5 – d4 – e2

Ü 2

Dialog 1 + Welche Kra**nk**enkasse haben Sie bitte?
– Die AOK.
+ Da**nk**e.

Dialog 2 + Was sind Sie von Beruf?
– Ich arbeite bei der Allgemeinen Zeitu**ng**.

Dialog 3 + Wo ist die Kantine bitte?
– Gleich hier li**nk**s.

Dialog 4 Frau Schmidt, legen Sie bitte die Papiere in den Schra**nk**.

Dialog 5 + Der Chef aus der Marketi**ng**abteilung spricht sehr gut E**ng**lisch.
– Ja, er war la**ng**e in E**ng**land.

Ü 3

der Angestellte	**die Angestellte**
der Verkäufer	**die Verkäuferin**
der Frisör	die Frisörin
der Arzt	**die Ärztin**
der Programmierer	die Programmiererin
der Pilot	die Pilotin
der Redakteur	**die Redakteurin**
der Hausmann	die Hausfrau
der Mechaniker	die Mechanikerin
der Krankenpfleger	die Krankenschwester

Ü 4

Städtische Kliniken Jena = der Arbeitsplatz – Matthias Roth = der Name – Chefarzt = der Beruf – Eichplatz 32-34, 07743 Jena = die Adresse – Tel. 03641/123-6544-0 = die Telefonnummer – Fax 03641/123-6544-1 = die Faxnummer – E-Mail roth@klinikenjena.de = die E-Mail-Adresse

Ü 5

Mitglieder beraten/informieren/treffen
Flugtickets reservieren/kontrollieren
Kurse leiten/organisieren/planen
Sportgeräte kontrollieren
eine Party organisieren/planen
die Freundin treffen
ein Showprogramm leiten/planen/organisieren
Kunden informieren/beraten/treffen

Ü 6

Ich bin Trainer in einem Fitness-Studio. Das ist mein Traumberuf. Da **kann** ich morgens lange schlafen, denn meine Arbeit beginnt erst um zehn Uhr.
Ich **muss** viele Leute beraten und für sie das Sportprogramm planen. Ich **muss** auch Partys organisieren. Am Samstag **muss** ich auch arbeiten, aber am Sonntag und Montag habe ich frei. Am Sonntag **kann** ich meine Freundin treffen. Leider **muss** sie am Montag arbeiten. Wir **können** uns daher nicht oft sehen. Nächstes Jahr arbeiten wir zusammen in Spanien. Wir **können** dort auch viel privat zusammen machen.

Ü 7

die Arbeitsanweisung – die Arbeitslosigkeit – der Arbeitsmarkt – der Arbeitsplatz – das Arbeitszimmer – die Arbeitszeit

Ü 8

Kann ich einen Termin *haben*?
Eine Pilotin *kann* in andere Länder *fliegen*.
Wann *musst* du am Montag *arbeiten*?
Kann ich heute früher nach Hause *gehen*?
Eine Sekretärin *muss* viele E-Mails *schreiben*.

Ü 9

Ich **arbeite** im Lufthansa-Call-Center in Kassel.
Ich **muss** beruflich viel telefonieren.
Ich **spreche** Deutsch, Englisch und Spanisch.
Ich **bekomme** die Telefonanrufe aus Großbritannien, Spanien, Südamerika und den USA.
Meine Kolleginnen und ich **beraten** unsere Kunden und **informieren** sie über Flugzeiten.
Wir **reservieren** auch Flugtickets am Telefon.
Wir **müssen** am Telefon immer freundlich sein.
Manchmal **müssen** wir auch am Wochenende arbeiten.
Meine Tochter **kann** nicht kochen.

Ü 10

a: Kauffrau 14,3 Prozent – b: Arzthelferin 7,4 Prozent – c: Frisörin 6,8 Prozent

a: Automechaniker 7,5 Prozent – b: Kaufmann 5,8 Prozent – c: Elektriker 5,6 Prozent

Ü 11

1: „Meine Arbeitszeit ist flexibel. Ich arbeite in einem Büro mit anderen Kollegen. **Das** Büro ist sehr groß. Ich habe **einen** Schreibtisch mit einem Computer und einem Telefon. **Mein** Telefon ist sehr wichtig. Jetzt schreibe ich gerade **einen** Text. Morgen können Sie **meinen** Text in der Zeitung lesen."
Welchen Beruf hat er? **Redakteur**
2: Das ist Petra May. Bei ihrer Arbeit braucht sie auch **einen** Computer und **einen** großen Schreibtisch. Sie schreibt Computerprogramme. Sie muss **ihre** Kunden oft anrufen. Sie arbeitet allein im Büro.
Welchen Beruf hat sie? **Programmiererin**
3: Meine Freundin begrüßt **ihre** Kunden in einem Geschäft. Sie arbeitet von Dienstag bis Samstag, am Montag hat sie frei. Bei ihrer Arbeit braucht sie **keinen** Computer, aber **eine** Schere. Sie berät **ihre** Kunden. Dann schneidet sie Haare.
Welchen Beruf hat sie? **Frisörin**

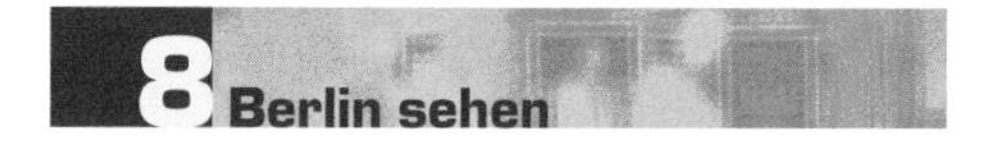

8 Berlin sehen

1 2

4: Reichstag/Bundestag – 5: Staatsoper – 6: Haus der Kulturen der Welt – 7: S + U Alexanderplatz – 8: S Unter den Linden

1 3

1: das Schloss Bellevue – 2: das Bundeskanzleramt – 3: der Reichstag – 4: das Brandenburger Tor – 5: der Potsdamer Platz – 6: das Sony Center – 7: die Friedrichstraße – 8: die Staatsoper – 9: die Humboldt-Universität – 10: der Berliner Dom – 11: die Alte Nationalgalerie – 12: der Fernsehturm

2 2

Dialog 1 Start: Rotes Rathaus, Ziel: Museumsinsel

Dialog 2 Start: Alexanderplatz, Ziel: Nikolaiviertel

2 3

r kann man hören	*r* kann man nicht hören
der Präsident	das Bundeskanzleramt
die russische Botschaft	die Humboldt-Universität
Straße – Friedrichstraße	der Berliner Dom
	der Fernsehturm
	die Staatsoper in Berlin
	der Potsdamer Platz

2 6

b)
3: Zur Universität? Erst **geradeaus**. An der Ampel **links**. Dann **über** den Bebelplatz und dann wieder **links**.

3 1

Die Touristen gehen ... ins Museum / über die Brücke / durch das Stadttor / am Bahnhof vorbei.

4 1

a (Tanja Cherbatova): mag besonders das moderne Berlin. / findet eine Exkursion für die Gruppe gut. / mag Musik und Diskos.

b (Marcel Schreiber): besichtigt gern Häuser. / ist sportlich und gern unterwegs. / hat viel fotografiert.

4 2

a) Der 27. Juni.

b) *Lösungsbeispiel*
Liebe Luise, schöne Grüße aus Berlin! Heute haben wir eine **Stadtführung** gemacht und dann die **Parade** besucht. Es war toll! Wir haben viele Fotos gemacht. Gestern waren wir im **Reichstag** und haben **eine Stadtrundfahrt** gemacht.
Dein **Franz**

Ü 1

a)
1: die Universität – 2: der Bahnhof – 3: das Hotel – 4: der Platz – 5: die Oper

b)
1: das Schloss – 2: das Museum – 3: der Turm – 4: die Galerie

Ü 2

Richtig: Nr. 2, 4, 6 und 7

Ü 3

1f – 2c – 3a – 4i – 5g – 6b – 7e – 8d – 9h

Ü 4

a)
1: – Gehen Sie geradeaus und die erste Straße rechts. Dann weiter über den Schillerplatz. **Das Museum** ist an der nächsten Kreuzung rechts.

2: – Gehen Sie geradeaus bis zur dritten Kreuzung. Dann gehen Sie rechts. **Das Schloss** ist an der nächsten Kreuzung auf der linken Seite.

3: – Gehen Sie geradeaus und an der nächsten Kreuzung rechts. Dann die nächste Straße links. **Die Bank** ist das große moderne Haus auf der rechten Seite.

b) der Bahnhof

Ü 6

Vorschlag
Steffi und Nadine gehen die Grolmannstraße entlang bis zur Goethestraße. Sie gehen links in die Goethestraße bis zur Weimarer Straße. Dann gehen sie rechts die Weimarer Straße entlang bis zur Bismarckstraße. Sie gehen über die Bismarckstraße und dann links bis zur Deutschen Oper.

Ü 7

Vorschlag
Die Tasche steht auf dem Bett. Das Hemd und die Krawatte liegen auf dem Bett. Die Hose liegt auf dem Sessel. Der Fotoapparat ist auf dem Tisch. Die Schuhe stehen vor dem Tisch. Der Koffer steht neben dem Tisch. Der Stadtplan liegt auf dem Koffer. Die Zeitung liegt unter dem Walkman.

Ü 8

1: eine Kirche besichtigen – 2: nach dem Weg fragen – 3: eine Straße entlang gehen – 4: den Bus nehmen

Ü 9

\+ Entschuldigung, wie kommen wir **zum** Fernsehturm?
– Zuerst gehen Sie geradeaus bis **zur** nächsten Ampel. Dann rechts die Grunerstraße entlang bis **zum** Alexanderplatz. Gehen Sie über den Platz bis **zum** Fernsehturm.

\+ Verzeihung, gibt es hier eine Touristeninformation?
– Ja, gleich hier **am** Bahnhof.

\+ Entschuldigung, gibt es hier in der Nähe ein Café?
– Ja, gehen Sie **durch** das Brandenburger Tor und **über** den Pariser Platz. Auf der linken Seite sehen Sie ein Café.

Ü 10

a)

ich will	wir wollen
du willst	ihr wollt
er/es/sie will	sie/Sie wollen

b)
1: Mirko sagt: „Ich **will** in der Friedrichstraße einkaufen. Natascha, **willst** du auch mitkommen?“
2: Natascha hat keine Lust. Sie **will** lieber den Reichstag besichtigen.
3: Atsuko und Tetsuya fragen: „Fahren wir am Potsdamer Platz vorbei? Wir **wollen** Fotos machen.“
4: Der Busfahrer antwortet: „Die Stadtrundfahrt ist am Sony-Center zu Ende. Dann habt ihr frei. Ihr könnt dann machen, was ihr **wollt**.“ Der Busfahrer **will** seine Ruhe haben.

Ü 11

1d – 2f – 3a – 4e – 5c – 6b – 7g

Station 2

1 2

b)
1: Texte am Computer schreiben
2: Telefonate führen
3: Faxe senden
4: Gäste begrüßen
5: Sitzungsprotokolle schreiben

1 3

a)
Diagnose, Termine machen, reparieren, Kunden beraten

b)
zwei Meister – Der Samstag ist frei. – Es gibt keine Diskussionen über die Kosten.

c)
Vorschläge
2: Was ist kaputt?
3: Wann ist das Auto fertig?
4: Was kostet das?
5: Geht es auch am Samstag?

2 1

5 – 3 – 6 – 7 – 8 – 4 – 1 – 2

2 2

Verkehrsmittel	*Büro*	*Wohnung*
Bus	arbeiten	Balkon
Rad	Computer	Regal
Taxi	Drucker	Küche
U-Bahn	telefonieren	Bad
Verkehr	Monitor	kochen
Zug	notieren	telefonieren
fahren	Fax	
	schreiben	

2 3

1. Programmierer/in – 2. Sekretär/in – 3. Kellner/in – 4. Trainer/in – 5. Automechaniker/in – 6. Arzt/Ärztin – Call-Center-Agent/in

3 1

1. nach – 2. mit – 3. am – 4. Um – 5. in – 6. bis – 7. von ... bis – 8. im

3 2

1. Wann ist die Berlin-Exkursion?
2. Wie fährst du zur Arbeit?
3. Wann kannst du?
4. Wann hast du Zeit? / Hast du um 9 Uhr Zeit?
5. Wann ist die Besprechung? / Wie lange geht die Besprechung?

5 1

Zuerst ruft sie Frau Meinberg an. Dann macht sie eine Stadtrundfahrt. Frau Meinberg wohnt am Viktoria-Luise-Platz. Im Bus sitzt sie oben und hört eine Audio-Stadtführung.

5 2

Am besten fahren Sie **mit dem Bus 119** bis zum Nollendorfplatz und dort steigen Sie dann in die **U-Bahn Linie 4** Richtung Innsbrucker Platz.
Moment, zuerst nehme ich den Bus **19** ...
Nein, nein, es ist der Bus **119** vom Ku'damm bis zum Nollendorfplatz. Es sind ca. **vier** Stationen.
Gut, **119**, und dann die U-Bahn Linie 4?

5 3

1b – 2a – 3f – 4b – 5b – 6c – 7e – 8d

9 Ferien und Urlaub

1 2

1e – 2d – 3b – 4a

1 3

Frau Rode an der Ostsee – *Susanna* auf Sylt – *Katja und Sven* in Heidelberg – *Max* im Allgäu

2 1

Der Donauradweg geht durch Deutschland, Österreich, die Slowakei und Ungarn.

2 2

b: 9. Tag: Bratislava – c: 3. Tag: Linz – d: 20. Tag: Budapest – e: 2. Tag: Engelhartszell – Linz – f: 7. Tag: Wien

2 3

2: eine Radtour machen – 3: eine Radtour planen – 4: ein Picknick machen – 5: ein Picknick planen – 6: ein Schloss besichtigen – 7: einen Reiseführer kaufen – 8: Fotos kaufen – 9: Fotos machen – 10: Ferien machen – 11: Ferien planen – 12: eine Stadt besichtigen

2 5

a)
ge...(e)t: geschafft, gemacht
...ge...t: eingekauft
...(e)t: übernachtet, probiert, besucht, erreicht, fotografiert, besichtigt

b)
Regel: Das Perfekt mit *haben* bildet man so: **haben** wird konjugiert und **das Verb im Partizip II** steht am Satzende.

c)
1: besucht – 2: gearbeitet – 3: gebaut – 4: gespielt – 6: telefoniert – 7: beantwortet – 8: zugehört

3 1

2 – 4 – 6 – 3 – 1 – 5

3 5

b)
ge...en: fallen – gefallen, fliegen – geflogen, kommen – gekommen, schreiben – geschrieben, helfen – geholfen
...ge...en: aufstehen – aufgestanden, anrufen – angerufen, weiterfahren – weitergefahren
...en: verlieren – verloren

3 6

Manja – *Wo?* an der Ostsee – *Was?* in der Sonne gelegen, gebadet, gelesen

Herr Demme – *Wo?* in München / in den Alpen – *Was?* einen Freund besucht, die Stadt besichtigt, gewandert

Frau Biechele – *Wo?* auf Sylt – *Was?* Freunde getroffen, Rad gefahren, die Insel angesehen, lange geschlafen

4 1

Familie Mertens aus Brandenburg hat zwei Kinder. Sie muss bei ihrer Urlaubsplanung die Ferientermine beachten. Im **Dezember** haben die Kinder Weihnachtsferien und im **Februar** gibt es Winterferien. Die Osterferien sind im Frühling, im **April**. Die Sommerferien liegen in den Monaten **Juni, Juli und August**. Im **Oktober** gibt es nochmal zwei Wochen Herbstferien.

5 1

Richtig: Nr 1, 4, 5 und 6

Ü 1

a: Meer, Strand, schlafen, lesen – b: auf dem Land, Berge, wandern, Tiere – c: Kultur, Stadtbummel, Museum, Besichtigung, Theater – d: Sport, Aerobic-Kurs, laufen

Ü 2

1: am Strand – langweilig
2: viele Museen – Stadturlaub
3: jeden Tag Fahrrad fahren – Sport

Ü 4

1: gemacht – 2: besucht, probiert – 3: fotografiert – 4: eingekauft, gemacht – 5: besichtigt – 6: erreicht

Ü 5

1d: Entschuldigung, ist Ihnen etwas passiert?
2e: Ich bin vom Rad gefallen.
3b: Der Ball ist ins Rad geflogen.
4c: Ich habe Sie angerufen.
5a: Wie ist das genau passiert?

Ü 6

haben: spielen – hat gespielt, anrufen – hat angerufen, verlieren – hat verloren, schreiben – hat geschrieben, helfen – hat geholfen
sein: fallen – ist gefallen, fliegen – ist geflogen, aufstehen – ist aufgestanden, kommen – ist gekommen, fahren – ist gefahren

Ü 7

2: Was hat er gesehen? – 3: Ist die Polizei (schnell) gekommen? – 4: Was haben die Polizisten gemacht?

Ü 8

Liebe Maria,
wir machen seit zwei Wochen Urlaub auf der Insel Rügen. In der ersten Woche **haben** wir in Putbus in der Jugendherberge **übernachtet**. Wir **haben** einen Segelkurs **gemacht** und wir **sind** mit dem Fahrrad um die Insel **gefahren**. Es war toll! Jetzt wohnen wir in Sassnitz. Gestern **haben** wir die Kreidefelsen **besichtigt** und in der Ostsee **gebadet**. Danach waren wir in Putbus und **haben** dort das Theater **besucht**. Ich **habe** schon viel **fotografiert**. Zu Hause zeige ich dir die Bilder.
Viele Grüße
Lilian

Ü 9

a)
1: Claudine Fischer
2: Claudine Fischer
3: Erkan Zaimoglu
4: Cora Clausen
5: Erkan Zaimoglu
6: Cora Clausen

b)
1: Erkan hatte nur drei Tage frei.
2: Cora: „Mallorca ist zu heiß und laut."
3: Claudine hat kein Geld.

c)

ge...(e)t	...g...t	...(e)t
gewechselt	abgeholt	besucht
gearbeitet		verkauft
gewandert		erholt
gemacht		übernachtet

ge...en	...ge...en	...en
gesessen	aufgestanden	beraten
gelesen		
gewesen		
gegessen		
geschrieben		
gefunden		
geblieben		
gelegen		
gefahren		
geschwommen		

Ü 10

Vorschlag
Letztes Jahr sind wir mit dem Auto in Urlaub gefahren. Die Fahrt war langweilig. Auf der Autobahn haben wir zwei Stunden im Stau gestanden. Wir haben dreimal Picknick gemacht. In Italien sind wir falsch gefahren. Wir haben im Auto geschlafen. Nach 13 Stunden sind wir im Hotel angekommen und waren sehr müde. Aber wir haben fantastisch im Restaurant gegessen.

Ü 11

2: Küche – 3: Ski fahren – 4: Arbeit – 5: Auto

10 Essen und trinken

2 1

Erdbeeren, Kartoffeln, Sauerkraut, Brötchen, Bananen

3 1

b)
Platz, Essen (Prozent): 1 Pizza (29 %) – 2 Döner (27 %) – 3 Hamburger (11 %) – 4 Pommes (10 %) – 5 Currywurst (5 %) – 6 Gemüse (2 %)

3 2

Berliner Schüler essen gern **Fastfood**. Sie mögen **Döner** lieber als Hamburger und **Pommes** lieber als **Currywurst**. Am liebsten essen sie **Pizza**.

3 4

1c – 2b – 3a

3 6

a) 1c – 2b – 3a

5 1

1. kochen – 2. schneiden – 3. anbraten – 4. verrühren – 5. backen

Ü 1

Milchprodukte: die Butter; der Käse; die Milch
Obst und Gemüse: die Bananen, die Tomaten, die Äpfel, die Paprika, die Zwiebeln, die Zitronen, die Kartoffeln, die Erdbeeren
Fleisch und Wurst: die Leberwurst, das Hähnchen

Ü 2

a)
2: Butter – 3: Schokolade – 4: Eier – 5: Chips

b)
1: **die** Banane – **die** Kirsche – **die** Kartoffel – **die** Orange
2: **das** Hähnchen – **die** Wurst – **die** Butter – **der** Fisch
3: **der** Reis – **die** Kartoffel – **die** Spaghetti – **die** Schokolade
4: **das** Ei – **der** Käse – **die** Butter – **die** Milch
5: **die** Schokolade – **das** Eis – **die** Chips – **die** Torte

Ü 3

Vorschlag
– Guten Tag, was darf es sein?
+ Drei Bananen, bitte.
– Gern. Darf es sonst noch etwas sein?
+ Ja, ein Pfund Butter und eine Flasche Wasser.
– Gern. Noch etwas?
+ Noch ein Brot, bitte.
– Sonst noch etwas?
+ Eine Tüte Chips und eine Schokolade. Das ist alles. Was macht das?
– Das macht 5,90 Euro.

Ü 5

1: mehr ... als
2: viel/mehr
3: mehr ... als
4: mehr ... als
5: viel

Ü 6

Vorschlag
Ich esse gern Fisch mit Reis. Ich trinke kein Bier, aber viel Wasser. Die Österreicher essen am liebsten Schokoladentorte. Und die Deutschen essen gern Schweinefleisch. Sie trinken auch gern Bier.
Die Schweizer essen lieber Kartoffeln als Reis.
In meinem Land ...

Ü 7

1: von Dienstag bis Sonntag von 17–24 Uhr
2: die Speisekarte bringen, die Gäste beraten, Bestellungen aufschreiben, das Essen und die Getränke bringen, die Rechnung bringen
3: „Fisch im Gemüsebett"
4: Kaffee trinken
5: bis ein Uhr
6: asiatisches Essen

Ü 8

1. **Welch**en Käse möchten Sie? – 2. **Welche** Lebensmittel kaufen Sie oft ein? – 3. **Welches** Fleisch ist heute billig? – 4. **Welche** Wurst magst du am liebsten? – 5. **Welcher** Tee schmeckt dir besser: Vanilletee oder Früchtetee?

Ü 9

+ Mmh, das sieht ja lecker aus.
– Ja, sehr lecker. Aber es gibt so viel Fleisch ...
+ Das stimmt. Magst du kein Fleisch?
– Nein, ich esse lieber Fisch als Fleisch. Was isst du am liebsten?
+ Mein Lieblingsessen ist Hähnchen mit Pommes. Und dazu eine Cola! Und was ist dein Lieblingsessen?
– Fisch und dazu ein großer Salat. Cola mag ich nicht. Ich trinke lieber Wasser.
+ Hm. Ich glaube, wir passen nicht zusammen.

Ü 10

Vorschläge
kochen: Wasser; Nudeln; Ei; Kartoffeln; Reis; Fleisch
braten: Fleisch; Zwiebel; Fisch; Ei; Kartoffeln
backen: Kuchen; Auflauf; Brot

Ü 11

Bernd: Frühstück Kaffee und Brötchen mit Wurst – *Mittagessen* Fleisch und Gemüse – *Abendessen in der Familie* Brot mit Käse und Salat – *Familienfrühstück am Wochenende* Ei und Brötchen mit Wurst, Käse und Marmelade. Manchmal Bratwurst mit Kartoffeln

Fernanda und Lisa: Frühstück Brot mit Marmelade; Tee und Milch – *Mittagessen* Pizza oder Spaghetti

11 Kleidung und Wetter

1 1

b)
Alexander ist auf Foto b. – Claudia ist auf Foto c. – Jette ist auf Foto d. – Jöran ist auf Foto e.

3 3

Singular
den: ein**en** schwarz**en** Trainingsanzug, ein**en** blau**en** Rollkragenpullover, ein**en** leicht**en** Rock, ein**en** schwarz**en** Anzug, ein**en** lang**en** Mantel
das: ein gelb**es** T-Shirt, ein weiß**es** Hemd
die: ein**e** blau**e** Hose, ein**e** braun**e** Jacke, ein**e** hell**e** Sommerhose, ein**e** weiß**e** Bluse, ein**e** rote Krawatte

Plural
schwarz**e** Hosen, braun**e** Stiefel, schwarz**e** Schuhe

4 1

a) 1c – 2b – 3a

4 4

Nominativ		*Akkusativ*	
der Rock	dieser Rock	den Rock	diesen Rock
das T-Shirt	dieses T-Shirt	das T-Shirt	dieses T-Shirt
die Jeans	diese Jeans	die Jeans	diese Jeans

5 2

Sonne 1 – Wolken 3 – Regen 2 – Kälte 7 – Wind 4 – Hitze 6 – Schnee 5

5 3

a)
Athen: bewölkt – Berlin: sonnig/heiter – London: bewölkt – Madrid: bewölkt – Moskau: Schnee – Rom: sonnig/heiter – Lissabon: Regen

Ü 1

Beruf: das Jackett, die Hose, die Krawatte
Freizeit: das T-Shirt, die Jacke, das Hemd, der Rock
Party: das Abendkleid, das Top, der Anzug

Ü 2

1b, 2a, 3a

Ü 3

hellblau: blau und weiß – dunkelblau: blau und schwarz – rosa: rot und weiß – grün: blau und gelb – orange: rot und gelb – türkis: blau und grün – dunkelrot: rot und schwarz – braun: rot, gelb und blau – violett: rot und blau

Ü 4

Mögliche Fragen und Antworten
2. Wie gefällt dir das Kleid auf Bild e? / Das finde ich elegant. – 3. Wie findest du dieses Jackett? / Das finde ich langweilig. – 4. Wie gefällt Ihnen der Anzug? / Den finde ich modern. – 5. Wie finden Sie das Top auf Bild c? / Das finde ich modern.

Ü 5

Der Mann trägt eine grüne Hose. Er hat eine schwarze Jacke und einen roten Schal an. Er trägt braune Stiefel und eine Sonnenbrille.

Die Frau trägt ein langes rotes Kleid und einen blauen Mantel. Sie trägt auch eine Sonnenbrille. Sie ist sehr elegant.

Ü 6

Die Herbstmode ist in den Geschäften. Hier sehen Sie einen **modischen** Mann. Er trägt eine **graue** Hose und ein **braunes** Jackett. Und dazu ein **blaues** Hemd. Frauen zeigen in diesem Herbst **elegante** Röcke und **modische** Hosen. Unser Model trägt einen **langen** Rock und **kurze** Stiefel. Dazu hat sie einen **leichten** Pullover aus Cashmere an.

Ü 7

Dialog 1
– Guten Tag, ich hätte gern einen Mantel, Größe 42.
+ In Größe 42 habe ich hier diesen blauen.
– Blau steht mir nicht. Haben Sie vielleicht einen in Grün?
+ Ja, diesen hier. Gefällt er Ihnen?
– Ja, kann ich ihn mal anprobieren?
+ Die Umkleidekabine ist dort rechts.

Dialog 2
– Guten Tag, Sie wünschen bitte?
+ Ich hätte gern ein Paar schwarze Winterschuhe.
– Welche Größe bitte?
+ Größe 39.
– Möchten Sie diese hier anprobieren?
+ Ja, danke. Die sind sehr bequem, die nehme ich.

Ü 9

1: **Welche** Stiefel sind Größe 38?
Diese hier.

2: **Welches** Kleid gefällt Ihnen?
Dieses oder **das/dieses** hier?

3: Gefällt Ihnen **dieser** Pullover?
Nein, **der** gefällt mir nicht, aber **dieser** hier ist sehr schön.

4: **Welche** Hose möchten Sie anprobieren?
Diese da, bitte.

Ü 10

Sommer: das T-Shirt, das Sommerkleid, das Top, die kurze Hose, das leichte Hemd – Winter: der Schal, die Handschuhe, der Rollkragenpullover, der Mantel, die Stiefel

Ü 11

1d – 2e – 3a – 4c – 5b

Ü 12

1d – 2a – 3b – 4e – 5c

12 Körper und Gesundheit

1 1

1b – 2e – 3f – 4a

1 3

zehn Finger; zehn Zehen; zwei Ohren; zwei Hände; zwei Arme und Beine; zwei Füße

2 1

Dienstag, um 8 Uhr 30.

2 2

Sie können gleich ins Arztzimmer gehen.

3 1

Tipps für die Gesundheit im Herbst und im Winter

3 4

gehen	Gehen Sie!	du gehst	Geh!
joggen	Joggen Sie!	du joggst	Jogg(e)!
duschen	Duschen Sie!	du duschst	Dusch!
machen	Machen Sie!	du machst	Mach!
denken	Denken Sie!	du denkst	Denk!
essen	Essen Sie!	du isst	Iss!

3 5

wählen – Ihr wählt eine Zeit ... – Wählt eine Zeit ...!
verändern – Ihr verändert Rauchsituationen ... – Verändert Rauchsituationen ...!
nehmen – Ihr nehmt nicht Kaffee mit Zigarette – nehmt nicht Kaffee mit Zigarette!
trinken – Ihr trinkt lieber Tee – trinkt lieber Tee!
lesen – Ihr lest Zeitung. – Lest Zeitung!

4 1

1b – 2a – 3d – 4c

4 3

Liebe Jenny,
du kennst **mich**, wir sehen **uns** jeden Morgen im Bus. Ein Morgen ohne **dich** ist wie ein Morgen ohne Sonne! Manchmal siehst du **mich** an, das macht **mich** sehr glücklich. Mein Herz klopft dann sehr laut – kannst du **es** hören? Ich denke oft an **dich**. Deine Augen, deine Haare – du bist für **mich** eine Traumfrau! Ich möchte **dich** kennen lernen. Kommst du morgen um 19.39 Uhr ins Café Bohème?

Ü 1

Reihenfolge der Bilder: 3 – 1 – 2 – 5 – 4

Ü 2

2. die Füße – 3. der Arm – 4. die Beine – 5. der Kopf – 6. die Ohren – 7. der Hals – 8. die Knie – 9. die Hand

Ü 3

a)
1d – 2e – 3a – 4b – 5c

b)
+ Guten Tag.
– Guten Tag, ich habe starke Zahnschmerzen.
+ Haben Sie einen Termin?
– Nein, leider nicht.
+ Waren Sie schon einmal bei uns?
– Ja, mein Name ist Marianowicz. Muss ich lange warten?
+ Leider ja. Wir haben heute viele Patienten. Ich brauche Ihre Krankenversicherungskarte.
– Hier bitte.
+ Danke ... So, hier ist Ihre Karte. Bitte nehmen Sie im Wartezimmer Platz.
– Gut, mache ich. Danke.

Ü 4

1: Ich habe Fieber.
2: Ich habe Kopfschmerzen. / Mein Kopf tut weh.
3: Ich habe Husten.
4: Ich habe Bauchschmerzen. / Mein Bauch tut weh.
6: Ich habe Zahnschmerzen.

Ü 5

a)
1. Hier dürfen Sie nicht essen und trinken.
2. Hier dürfen Sie nicht parken.
3. Hier darf man nicht fotografieren.
5. Hier darf man nicht Fußball spielen.
6. Hier dürfen Sie nicht Ski fahren
7. Hier darf man nicht weiterfahren.

b)

ich	darf
du	darfst
er/sie/es	darf
wir	dürfen
ihr	dürft
sie/Sie	dürfen

Ü 6

Richtig: 3

Ü 7

4: Wartet bitte einen Moment!
5: Erklären Sie bitte die Regel!
6: Bitte reparieren Sie das Auto!
7: Bitte lies den Brief noch einmal vor!
8: Nimm noch ein Stück Kuchen!

Ü 8

1: + Siehst du den tollen Typ da drüben?
– Den Blonden? Das ist Peter! Findest du **ihn** gut?
+ Ja, er sieht super aus!
– Ich habe seine Telefonnummer. Ruf **ihn** doch mal an!

2: + Bist du noch mit Ulla zusammen?
– Nein, ich habe **sie** schon seit einem halben Jahr nicht mehr getroffen.

3: + Hallo! Ich glaube, ich habe **Sie** schon einmal gesehen.
– Ja, natürlich! Am Montag haben wir **uns** in der Galerie getroffen. Wie geht es Ihnen denn?

4: + Du hast ja ein tolles Kleid an!
– Danke. Ich habe **es** letzte Woche gekauft.

5: + Ihr habt **euch** im Café am Markt getroffen, du und ein junger Mann. Du liebst **mich** nicht mehr!
– Natürlich liebe ich **dich**. Er ist mein Kollege. Wir hatten ein Arbeitsessen.

Ü 9

1: Traummann – 2: Liebesbrief – 3: Muskeln – 4: Beine – 5: Schmerzen – 6: Rezept – 7: Tabletten – 8: Rücken – 9: Wartezimmer – 10: Erkältung

Station 3

1 3

Aufgabe: Patienten pflegen, beobachten und beraten; Patienten waschen; Essen und Medikamente verteilen; bei Untersuchungen helfen; Apparate und Instrumente kontrollieren
Arbeitszeiten: Schichtbetrieb: ab 6.00, 14.00 oder 22 Uhr
Arbeitsorte: Krankenhäuser; zu Hause bei Patienten

2 1

b)
Überschrift c passt am besten.

c)
1911: Nivea-Creme ist seit 1911 auf dem Markt. – Labor: Der Apotheker Dr. Oskar Troplowitz hat sie um 1900 in seinem Labor in Hamburg entwickelt. – blaue Dose: Die blaue Dose gibt es seit 1924. Sie symbolisiert Frische und Sauberkeit.

4 1

Katja ist aus **Berlin** zurück. Das wollen wir **feiern**. (...)
Am 18. Juni, abends um **19** Uhr!
Bitte iss vorher nichts, es gibt **Nudelauflauf** und **Salat**.

4 2

Sie kauft: Paprika, 6 Äpfel, 1 Schale Erdbeeren, Salat, 1 kg Tomaten

4 4

6 – 5 – 1 – 4 – 2 – 3

4 5

Berge: wandern, klettern, Schnee, Abenteuer, Bergführer, Berge, Natur
Meer: Beach-Volleyball, Insel Rügen, Caspar David Friedrich, Nord- und Ostsee, schwimmen, Sonnenschein
Berge und Meer: Ruhe, Fitness-Urlaub, Natur, Bewegung

4 7

1: Matthias – 2: Justyna – 3: Katja – 4: Matthias – 5: Katja

Bildquellen

© altro S. 14 – © Arco Digital Images: Imagebroker, S. 105 (Mitte links); Meester, S. 45 (rechts) – © Aura: Ammon, S. 56 (c) – © Bilderbox, S. 62 – © Bw photoagentur: Nijhof, S. 60 – © Caro: Kaiser, S. 69 – © Comstock images, S. 20 (Mitte) – © Corbis: S. 65 (oben Mitte), S. 87 (unten rechts), S. 88 (oben rechts), S. 36 (c); Blue Lantern Studio, S. 46 (d); Duomo, S. 87 (d); Kaufman, S. 36 (d); Keller, S. 12 (oben); Ney, S. 72 (a); Pelaez, S. 36 (b); Savage, S. 36 (e); Streshinsky, S. 103 (2. von rechts); de Zorzi, S. 96 (5) – © Cornelsen: Corel-Library, S. 44 (a, b), S. 51 (2. von oben, unten), S. 91; Funk, S. 11 (links), S. 22 (unten), S. 26, S. 45 (c), S. 55 (oben rechts, unten), S. 118, S. 123; Hansen, S. 42 (Mitte und unten), S. 43 (oben und unten), S. 105 (oben); Homberg, S. 101 (Mitte); King & Queen, S. 42 (oben), S. 43 (Mitte), S. 104, S. 105 (unten); Lücking, S. 68; Schulz, S. 8 (a), S. 33, S. 55 (oben links), S. 76 (b), S. 88 – © ddp: S. 9 (g); Lang, S. 56 (e) – © f1 online: Seifert, S. 103 (rechts) – © Fotex: Tränkner, S. 87 (b) – © IFA, S. 23 (8), S. 52 (a) – © illuscope, S. 10, S. 23 (5), S. 46 (e) – © Land Berlin / Thie, S. 22 (1) – © Mauritius: S. 20 (unten); Age fotostock, S. 56 (b); Ball, S. 52 (d); Clasen, S. 49 (rechts); Dodd, S. 87 (unten links); Georgiadis, S. 65 (Mitte rechts); Gilsdorf, S. 12 (unten), S. 34 (unten links) und S. 103 (3. von rechts); Hackenberg, S. 100 (ganz rechts); Hermann, S. 86 (a); Hubatka, S. 37; Image State, S. 87 (c); Matthias, S. 9 (f); Mehlig, S. 54, S. 79; Mitterer, S. 100 (links, Mitte); Phototake, S. 63 (oben); Photothèque SDP, S. 8 (c); Pöhlmann, S. 8 (d), S. 101 (links, rechts); Powerstock, S. 11 (rechts); Rosenfeld, S. 9 (e); SST, S. 93; Stockimage, S. 17; Studio M, S. 87 (e); The copyright Group, S. 9 (h); Weinhäupl, S. 51 (oben); Ypps, S. 64 (Mitte) – © Möhler, S. 94 – © One to X: Maxis, S. 102 (2. von rechts) – © Partner für Berlin / FTB Werbefotografie S. 22 (2, 3), S. 23 (7) – Picture-Alliance: © dpa: Bildarchiv, S. 56 (a), S. 76 (a), S. 78 (rechts); Lang, S. 46 (f); Bilderdienst, S. 23 (6); Fotoreport, S. 32 und S. 54 (links), S. 56 (d), S. 66, S. 67, S. 72 (b), S. 73 (c, d), Weihrauch, S. 18; Sportarchiv, S. 75 (unten links, oben links); © okapia: Weiss, S. 36 (oben links); © ZB-Fotoreport: Schindler, S. 84 – © Plainpicture: Keller, S. 96 (6) – © Stockfood: Arras, S. 65 (Mitte links); Bischof, S. 63 (unten links), S. 64 (rechts), S. 65 (unten); Da Costa, S. 63 (unten rechts); Innerhofer Photodes, S. 46 (c); Johns, S. 64 (links); Marcialis, S. 65 (oben links) – © Superbild: Reso, S. 52 (b) – © Sven Simon, S. 75 (rechts) – © Tip Berlin Magazin, S. 24, S. 32 – © Transglobe: S. 76 (c) – © ullstein bild: Bodig, S. 36 (oben rechts); Boldt, S. 51 (2. von unten); Bork, S. 28 (oben); Caro/Meyerbroeker, S. 13 (oben), Caro/Oberhäuser, S. 13 (unten), Joker/Gloger, S. 65 (oben rechts), Joker/Steußloff, S. 102 (unten); P/F/H, S. 20 (oben); Peters, S. 78 (links); Reuters, S. 73 (d); Rieth, S. 96 (1); Seitz, S. 22 (4); Schnürer, S. 28 (Mitte), S. 46 (a); Steffens, S. 44 (e); Wodicka, S. 46 (b) – © Visum: S. 8 (b); Heimbach, S. 96 (3); Hendel, S. 103 (links); Mosler, S. 105 (Mitte rechts); Schroeter, S. 52 (c) – © Zefa: Stemmler, S. 63 (unten Mitte)

Textquellen

© 2001 by Hanseatic Musikverlag GmbH & Co. KG: „Ab in den Süden“ (Jeglitza, Koehler, Erl), S. 50 – © Jandl, Ernst: „Lichtung“, S. 26 – © 1966 Nero Musikverlag Gerhard Hämmerling oHG: „Welche Farbe hat die Welt“, S. 79 – © Wort und Bild Verlag, S. 90